JUEGOS
PARA CADA
OCASION

JUEGOS
PARA CADA
OCASION

WAYNE RICE Y MIKE YACONELLI

Ilustraciones: Dan Pegoda

Traducción: Julia A. López Lazo

EDITORIAL MUNDO HISPANO

EDITORIAL MUNDO HISPANO

Apartado Postal 4256, El Paso, TX 79914, EE. UU. de A.

www.casabautista.org

Agencias de Distribución

CBP ARGENTINA: Rivadavia 3474, 1203 Buenos Aires, Tel.: (541)863-6745. **BOLIVIA:** Casilla 2516, Santa Cruz, Tel.: (591)342-7376, Fax: (591)342-8193. **COLOMBIA:** Apartado Aéreo 55294, Bogotá 2, D.C., Tel.: (571)287-8602, Fax: (571)287-8992. **COSTA RICA:** Apartado 285, San Pedro Montes de Oca, San José, Tel.: (506)225-4565, Fax: (506)224-3677. **CHILE:** Casilla 1253, Santiago, Tel: (562)672-2114, Fax: (562)695-7145. **ECUADOR:** Casilla 3236, Guayaquil, Tel.: (593)445-5311, Fax: (593)445-2610. **EL SALVADOR:** Av. Los Andes No. J-14, Col. Miramonte, San Salvador, Tel.: (503)260-8658, Fax: (503)260-1730. **ESPAÑA:** Padre Méndez 142-B, 46900 Torrente, Valencia, Tel.: (346)156-3578, Fax: (346)156-3579. **ESTADOS UNIDOS: CBP USA:** 7000 Alabama, El Paso, TX 79904, Tel.: (915)566-9656, Fax: (915)565-9008, 1-800-755-5958; 960 Chelsea Street, El Paso, TX 79903, Tel.: (915)778-9191; 4300 Montana, El Paso, TX 79903, Tel.: (915)565-6215, Fax: (915)565-1722, (915)751-4228, 1-800-726-8432; 312 N. Azusa Ave., Azusa, CA 91702, Tel.: 1-800-321-6633, Fax: (818)334-5842; 1360 N.W. 88th Ave., Miami, FL 33172, Tel.: (305)592-6136, Fax: (305)592-0087; 647 4th. Ave., Brooklyn, N.Y., Tel.: (718)788-2484; **CBP MIAMI:** 12020 N.W. 40th Street, Suite 103 B, Coral Springs, FL 33065, Fax: (954)754-9944, Tel. 1-800-985-9971. **GUATEMALA:** Apartado 1135, Guatemala 01901, Tel.: (502)2-220-0953. **HONDURAS:** Apartado 279, Tegucigalpa, Tel.: (504)238-1481, Fax: (504)237-9909. **MEXICO: CBP MEXICO:** Vizcaínas Ote. 16, Col. Centro, 06080 México, D.F., Tel./Fax: 510-3674, 512-4103; Madero 62, Col. Centro, 06000 México, D.F., Tel./Fax: (525)512-9390; Independencia 36-B, Col. Centro, 06050 México, D.F., Tel.: (525)512-0206, Fax: 512-9475; F.U. Gómez 302 Nte. Monterrey, N. L. 64000, Tel.: (528)342-2823. **NICARAGUA:** Reparto San Juan del Gimnasio Hércules, media cuadra al Lago, una cuadra abajo, 75 varas al Sur, casa 320, Tel.: (505)278-4927, Fax: (505)278-4786. **PANAMA:** Apartado E Balboa, Ancon, Tel.: (507)264-6469, (507) 264-4945, Fax: (507)228-4601. PARAGUAY: Casilla 1415, Asunción, Fax: (595)2-121-2952. **PERU:** Pizarro 388, Trujillo, Tel./Fax: (514)424-5982. **PUERTO RICO:** Calle San Alejandro 1825, Urb. San Ignacio, Río Piedras, Tel.: (809)764-6175. **REPUBLICA DOMINICANA:** Apartado 880, Santo Domingo, Tel.: (809)565-2282, (809)549-3305, Fax: (809)565-6944. **URUGUAY:** Casilla 14052, Montevideo 11700, Tel.: (598)2-309-4846, Fax: (598)2-305-0702. **VENEZUELA:** Apartado 3653, El Trigal 2002 A, Valencia, Edo. Carabobo, Tel./Fax: (584)126-1725.

Ediciones: 1988, 1990, 1992, 1993, 1995, 1996, 1998
Octava edición: 1999

Clasificación Decimal Dewey: 790.15

Tema: Juegos

ISBN: 0-311-11047-9
E.M.H. Art. No. 11047

3 M 7 99

Printed in U.S.A.

Los juegos en este libro aparecieron originalmente en la Biblioteca *Ideas,* publicada por Youth Specialties, Inc.

Los autores desean agradecer a todos los obreros juveniles creativos quienes desarrollaron originalmente estos juegos y contribuyeron con ellos para su publicación. Sin ellos, este libro no hubiera sido posible.

INDICE

1

¡VAMOS A JUGAR!

Este es un libro de juegos.
Pero no es un libro de juegos común.

Juegos para cada ocasión es un libro repleto de juegos que la gente —de todo tipo— querrá jugar. Esto puede sonar sorprendente en una sociedad que ha permitido que casi todos los juegos se conviertan en algo para *mirar*. Un campo de batalla presurizado, altamente competitivo donde ganar es todo y la gente no importa. *Juegos para cada ocasión* fue escrito porque creemos que la gente quiere jugar otra vez y quiere divertirse. Así que hemos escogido juegos que no solamente fueran divertidos, sino también que casi todos pudieran jugar. Juegos que brinden una ocasión para celebrar, no una guerra.

Seleccionamos los juegos en este libro usando criterios específicos que no tienen nada que ver con el hecho de ganar o con las habilidades de los participantes. En cambio, cada juego fue escogido por su potencial para aumentar el compañerismo.

No es que la competencia sea intrínsecamente mala. Un buen juego tiene que incluir cierta forma de competencia. Pero *ganar* nunca debe ser el énfasis en el juego, sino que esto debe ser algo irrelevante o menos importante. La competencia es útil cuando hace aumentar el placer de quienes están jugando. Cuando la competencia lleva a marcar diferencias entre el "bueno" y el "malo" o el "talentoso" y el "infradotado", entonces llega a ser perjudicial para el que lo juega.

Así como la diversión es más importante que la competencia, la participación es más importante que la observación o el desempeño. Los juegos fueron hechos para ser jugados, no mirados. Sin embargo, muchos de nosotros hemos aceptado voluntariamente el papel de espectadores en vez de participantes. De hecho, muchos de nosotros somos reacios a participar activamente en un juego porque pensamos que no somos lo suficientemente buenos. Tenemos miedo al ridículo o a la vergüenza. El resultado es que los juegos se han convertido en el dominio privado del atleta y del profesional. Es hora de que recobremos el juego haciéndolo para todos nosotros. Así, podremos experimentar el juego "de primera mano" en vez de hacerlo indirectamente.

Cuando el objetivo final es ganar, los únicos que disfrutan

del juego son aquellos que están en el equipo ganador y los que sienten que contribuyeron a ganar con un buen desempeño. Cuando el objetivo final es la participación de cada jugador, entonces todos pueden disfrutar del juego, ya sea que pierdan o ganen, porque el simple hecho de *jugar* les divierte.

La interacción del grupo debe ser siempre la meta buscada. Al terminar el juego, los jugadores deben ser mejores amigos que cuando éste empezó. Este debe ser el resultado de todos los juegos que realizamos.

Se requiere un poco de esfuerzo para cambiar nuestra orientación de competencia a cooperación. Una vez que decidamos no dejar nunca que el deseo de ganar se inmiscuya en una relación, podremos empezar a ver a la otra persona como una aliada en vez de una enemiga. Cooperar en un juego no significa que no compitamos; simplemente quiere decir que nunca dejaremos que la competencia esté en medio de nuestra relación con todos los demás jugadores.

Hay más de trescientos juegos en este libro. Ahora usted ya no tendrá que preocuparse por encontrar a *qué* jugar. Hay más juegos en este libro de los que usted jamás va a necesitar. Pero ahora surge un problema: ¿cómo decide cuál es el juego "correcto" para esa ocasión?

COMO ESCOGER EL JUEGO CORRECTO

Un juego correcto es aquel que es efectivo para su grupo particular de jugadores. Un juego equivocado es uno que no funciona en su grupo. ¿Cómo se puede saber cuáles juegos funcionarán y cuáles no? He aquí algunas cosas para considerar:

1. Seguridad

Cualquier juego es incorrecto si puede llegar a lastimar a alguien. Por supuesto, cualquier juego puede causar una herida accidental. Pero a veces la gente se hiere porque no se toman las debidas precauciones. Cuando usted, como líder, presenta un juego a los demás, ellos asumen que ha tomado todas las precauciones para su seguridad. He aquí algunas sugerencias de seguridad para cualquier juego:

a. Asegúrese de que usted ha jugado, o ha visto jugar, cualquier juego que decida usar con otros.

b. Tome precauciones extra cuando estén jugando niños muy pequeños o ancianos.

c. No anime a los jugadores a jugar con brusquedad.

d. Revise el lugar de juegos buscando objetos que sobresalgan, superficies ásperas, obstáculos, pisos resbalosos, o cualquier riesgo que pueda hacer peligrar a uno de los jugadores.

e. Si usted cambia o adapta un juego, asegúrese de pensar en las implicaciones de esos cambios.

f. Los atletas son atletas —les gusta la competencia y les gusta ganar. Puede encontrar que la mayoría de los jugadores atletas dominan un juego, haciéndolo muy agresivamente. Anime a los tipos más atletas a no dominar el juego. Si continúan jugando con mucha brusquedad, usted tendrá que darles alguna clase de desventaja como saltar en una pierna o usar sólo su mano izquierda.

g. Tenga siempre a mano el equipo adecuado de primeros auxilios.

h. Cuando usted auspicia un evento largo, de todo el día, con jóvenes, es una buena idea requerir el permiso de los padres por escrito. Así, se puede dar cuidado inmediato a los que se lastiman.

NOTA: Haga todo el esfuerzo posible para incluir a los minusválidos en el juego. A menudo la gente automáticamente asume que los inválidos no pueden jugar, cuando un ajuste pequeño a las reglas hace posible que ellos se unan al juego.

Aun cuando la invalidez de una persona sea muy severa, usted puede incluirla: ¿por qué no la nombra árbitro, fotógrafa oficial del juego, o la que lleva la cuenta del puntaje?

2. Edad del grupo

Casi todos los juegos en este libro pueden ser jugados por cualquier persona, no importa su edad. Pero hay ciertos juegos que son más adaptables para edades específicas. Si necesita un juego para familias, escoja uno que incluya cooperación y poco contacto físico. Si está escogiendo juegos para jóvenes de la escuela secundaria, seleccione juegos de alta energía y con mucho contacto físico.

3. Sexo

A pesar de las preocupaciones legítimas acerca de la discriminación sexual, es mejor separar a las mujeres de los varones para los juegos físicos o de golpes duros. Esto no significa que las chicas no puedan participar en juegos físicos; simplemente quiere decir que *algunos* juegos se desarrollan mejor si no se juegan en forma mixta.

4. Tamaño

Algunos juegos no funcionan muy bien con un grupo pequeño; otros, como RONDA ANATOMICA (página 46) funcionan bien. Antes de jugar, considere si los juegos que usted escogió son adecuados al tamaño de su grupo.

5. Personalidad

Todo grupo tiene una personalidad única: su dinámica de grupo. Algunos grupos son activos, desenvueltos y físicos, en cambio otros son más tranquilos o sofisticados. Es bueno dar al grupo nuevas experiencias, también es bueno empezar con un juego en el que todos se sientan cómodos. El secreto es no escoger juegos sólo basándose en que usted los prefiere. En vez de eso, seleccione juegos que su grupo encuentre divertidos.

6. Habilidad

Hay algunas cosas que ciertas personas no pueden hacer. Por ejemplo, los niños pequeños tienen dificultad en mantener el balance de las tazas con agua sobre sus cabezas; la gente mayor tiene más dificultad en saltar alrededor de una cancha de fútbol. Tenga en cuenta la habilidad de su grupo cuando elija cualquier juego.

7. Propósito

El propósito general de todo juego es aumentar el compañerismo y divertirse. Pero más allá de eso, los juegos pueden servir para muchos propósitos: cansar a los acampantes más activos en el primer y último día del campamento; ayudar a la gente a conocerse mejor; o proveer ejercicios saludables. El punto está en que los juegos pueden hacer más que proveer diversión, pueden cumplir otros propósitos valiosos al mismo tiempo.

Recuerde que los juegos son para la gente y no hay dos personas que experimenten los juegos exactamente del mismo modo. Estas pautas no le aseguran que todos los juegos funcionarán perfectamente, pero pueden ser de ayuda.

ADAPTABILIDAD

Los juegos pueden hacerse dondequiera, a cualquier hora, con quienquiera. Aun así, todo grupo tiene por lo menos una persona que no quiere participar de un juego a menos de que se juegue con las reglas oficiales, en una cancha oficial, con un equipo oficial. Es cierto que muchos juegos son mejores bajo condiciones oficiales; de todas maneras, cualquier juego puede ser adaptado para acoplarse a cualquier serie de circunstancias. La adaptabilidad simplemente quiere decir que los juegos fueron hechos para ser jugados, y que todo lo que haya que hacer para conseguir que la gente juegue y se divierta, debe hacerse.

1. Adaptación de las reglas. Las reglas le explican la manera de realizar el juego. Eso no significa que no puede jugarse de otro modo. Si las reglas están obstruyendo el juego, entonces cámbielas para mejorarlo. Por ejemplo, si su grupo está jugando béisbol y nadie puede batear la pelota porque el lanzamiento es muy rápido, haga una regla para que los tiros sean más lentos. Recuerde, se supone que jugar es divertido.

2. Adaptación del tiempo. El tiempo no es realmente tan importante. Si la gente se está divirtiendo, el límite de tiempo es irrelevante. Usted puede interrumpir o abreviar un juego si es aburrido; y puede prolongarlo si todos se divierten. El tiempo puede ser una ventaja al juego si usted lo controla en vez de dejar que él lo controle a usted.

3. Adaptación del clima. Bueno —no realmente. Usted no puede cambiar el clima, pero puede cambiar el juego para acomodarlo al clima. Por ejemplo, no puede detener la lluvia en un partido de voleibol, pero aun así puede jugar voleibol bajo la lluvia, o con paraguas, o con lodo. El clima malo, dentro de lo razonable (obviamente no se puede jugar durante una tormenta o tornado), nunca debe detener un juego; en vez de eso debe motivarle a adaptar su juego al clima.

4. **Adaptación del equipo.** Casi todo juego requiere algun tipo de materiales. Usted debe, por supuesto, tratar siempre de conseguir el equipo que contribuya a tener el mejor juego posible. Pero usted no es un esclavo de los materiales. Si no puede encontrar una pelota de voleibol, use una de fútbol, o cualquier otra que pueda hallar. Si lo que encuentra le parece que afectará el resultado del juego, entonces cambie las reglas. Pueden jugar jockey de escoba con una pelota de voleibol, de fútbol, una naranja o aun con las camisetas hechas un nudo.

COMO JUGAR

No puede decirle a los demás cómo jugar a cierto juego si usted no lo ha jugado o no lo ha visto jugar antes. Usted debe estar listo para explicar el juego de un modo simple y claro, y tan rápido como sea posible. En vez de dejar a la gente hacer un millón de preguntas, simplemente jueguen. La mayoría de las preguntas se responderán cuando estén jugando. Pero si las reglas básicas y las instrucciones del juego no se entienden, el resultado puede ser una confusión total. Esto significa que debe tener la atención de todos mientras explica el juego. Nunca trate de gritar las instrucciones para superar la bulla de un grupo que no presta atención. Use una bocina o un sistema de altavoz para dirigirse a grupos grandes. Para grupos pequeños, un buen silbato de árbitro (los silbatos baratos nunca suenan fuerte) o un silbato de marino (manténgalo en un lugar seguro donde nadie lo use inapropiadamente. Si alguien lo toca apuntando hacia el oído de una persona a una distancia corta, puede causarle cierto daño serio) atraerá la atención. Es una buena idea para cuando están jugando en grupos grandes tener una regla permanente: siempre que suena el silbato, todos deben sentarse inmediatamente y callarse.

Cuando usted tiene la atención del grupo, explique el juego claramente y con entusiasmo. Haga que su explicación sea tan divertida como si ya estuvieran jugando. Demuestre exactamente cómo se debe jugar. Generalmente es más fácil mostrar al grupo cómo jugar que explicar cómo es el juego.

ELECCION DE EQUIPOS

Si usa un juego que requiere la formación de equipos, recuerde que en la selección de los miembros se avergüenza a aquellos que tienen la poca fortuna de ser seleccionados al final. Especialmente, si *siempre* son los últimos o piensan que lo son. La mejor opción es usar un juego, como CORRAL, que divida automáticamente a todos en grupos. Estos grupos pueden llegar a ser equipos antes de que alguien se dé cuenta de lo sucedido.

La mayoría de los juegos en este libro no necesitan habilidades específicas por lo que la calidad del equipo no está determinada por el tamaño, fuerza, o habilidad atlética. Todo lo que se necesita para un buen equipo es un grupo de personas deseosas de jugar.

ARBITROS

Todo juego requiere varias personas responsables para ayudar a dirigir y supervisar los juegos, especialmente cuando están involucrados grupos grandes de personas. Un buen cálculo es un líder para cada veinte jugadores. Asegúrese de que los árbitros estén bien identificados con camisetas rayadas, chaquetas fluorescentes o sombreros coloridos. Esté seguro de que todos los árbitros entienden completamente las reglas del juego. Practique el juego primero con un grupo de prueba para solucionar cualquier situación no explicada en las reglas. Si los árbitros tienen que referirse continuamente al libro, no están lo suficientemente familiarizados con el juego.

Hay dos clases de árbitros. Primero, el tipo de "Al Pie de la Letra". Este cree que los árbitros son figuras de autoridad, cuya función principal es reforzar las reglas al pie de la letra. Estos tipos de árbitros son buenos en la liga nacional, pero no en otra parte.

La segunda clase de árbitro es el tipo "Diversión y Juego". Esta clase de árbitro entiende que las reglas son sólo una guía para hacer que el juego sea divertido y agradable. El comprende que una infracción ocurre cuando la diversión de la gente en el juego está en peligro. Así, si un equipo está quedando desesperadamente atrás, el árbitro se hace más observador del equipo ganador y menos observador del equipo que está perdiendo. El árbitro de "Diversión y Juego" reconoce que las reglas existen para el beneficio de la gente que está jugando, en vez de que la gente exista para el beneficio de las reglas.

PUNTAJE

Muchos grupos usan "puntos" para señalar la posición de los equipos durante los eventos del juego. Aunque pueda sonar tonto, la cantidad de puntos que usted asigne puede realmente aumentar el placer y la emoción de los que están jugando. Los puntos son gratis, así que no tiene que ser tacaño con ellos. Dé muchos puntos, ¡mil puntos! ¡tres mil puntos! Después de todo, ¿quién quiere jugar por cincuenta míseros puntos si puede ganar tres mil? ¡Diviértase un poco, regale diez mil puntos!

Ahora que hemos resuelto los aspectos preliminares, puede comenzar a hacer lo que se supone que debe hacer: jugar. Honestamente esperamos que de ahora en adelante los juegos que haga sean divertidos y placenteros, y que lo acerquen más a la gente con quien juega. Sinceramente esperamos que *Juegos para cada ocasión* le ayude a redescubrir el gozo de jugar.

2

JUEGOS AL AIRE LIBRE PARA GRUPOS GRANDES

Este capítulo contiene una variedad de juegos al aire libre para grupos de treinta o más personas. Algunos pueden ser jugados con un número casi ilimitado de personas. Conviene que se jueguen en un campo grande y abierto.

Tenga en mente que hay muchos otros juegos en este libro que también pueden ser jugados afuera con grupos grandes. Las carreras en el capítulo 7, por ejemplo, pueden ser usadas con cualquier tamaño de grupo y muchos de los juegos de interior en el capítulo 4 pueden ser adaptados para su uso al aire libre. No se limite a este capítulo si está buscando "justo" ese juego para su próxima actividad al aire libre.

AMEBA

Para este juego necesitará varias cuerdas largas y resistentes. Divida el grupo en equipos de cualquier tamaño. Ate una cuerda alrededor de todo el equipo por la cintura. Haga que los equipos se unan entre sí lo más posible y mantengan sus brazos arriba mientras usted los ata con la soga. Después de estar atados, deben correr hasta la meta y regresar. A menos de que trabajen juntos como equipo, se caerán o irán a cualquier lado. Es divertidísimo mirarlos.

A-B-C

Este juego es bueno para grupos grandes de cuarenta o más personas. Divídalos en equipos. El líder debe colocarse en una posición por encima de los jugadores, como sobre un techo, árbol o roca, para ver a toda la gente. Entonces gritará una letra del alfabeto y cada equipo debe formar la letra tan pronto como sea posible (como lo haría una banda al marchar). El primer equipo que forme la letra, gana. En caso de empate, los equipos también pueden ser juzgados por la mejor formación de la letra.

ALBOROTO

Este juego requiere cuatro equipos de igual tamaño. Cada equipo se coloca en una esquina del salón o de la cancha. El área de juego puede ser cuadrada o rectangular. A la señal indicada

cada equipo tratará de dirigirse tan rápido como sea posible a la esquina directamente opuesta a la de ellos (diagonalmente), ejecutando mientras avanzan una actividad anunciada. El primer equipo, cuyos miembros logren llegar a la nueva esquina, gana esa vuelta particular. La primera vuelta puede ser simplemente correr a la esquina opuesta, pero después puede usar cualquier número de posibilidades como caminar hacia atrás, carrera de carretillas (una persona es la carretilla), andar en cuatro patas, rodar, saltar sobre un pie, brincar y caminar como cangrejo. Habrá un alboroto en el centro cuando los cuatro equipos se entrecrucen.

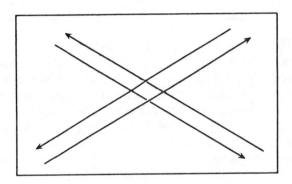

ELIMINACION DE ALBOROTO

Este juego es una buena variación del anterior. Los miembros de los equipos se reúnen en las cuatro esquinas del campo de juego como antes. Pero, esta vez, cada persona tiene una bandera (como la de fútbol) que debe llevar en sus pantalones. Se asigna un área de seguridad con una línea para cada equipo y el juego empieza con todos detrás de la línea.

Al escuchar la señal todos corren a través de la cancha a la esquina opuesta. En el camino, cada uno trata de tomar la bandera de los pantalones de un miembro del equipo opuesto. Si lo consigue el equipo gana un punto por cada bandera capturada y el jugador que perdió su bandera es eliminado. El juego continúa hasta que queden sólo los miembros de un equipo. Este es el ganador.

CAPTURE LA BANDERA

Este es un juego antiguo, pero que a los chicos les encanta jugar. El área de juego necesita arreglarse según este diagrama:

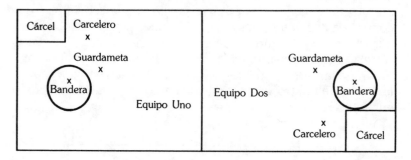

El Equipo 1 está en un lado de la cancha y el Equipo 2 está en el otro. La idea del juego es capturar la bandera, ubicada en el territorio del otro equipo, sin dejarse agarrar (o ser tocado). Una vez que cruza la línea del medio de la cancha, usted puede ser tomado y enviado a la cárcel por cada jugador del equipo contrario. Si usted está en la cárcel, alguno de los miembros de su equipo lo puede librar entrando a la cárcel sin dejarse agarrar y después llevándoselo. Nadie los puede tocar en el camino de regreso. Cada equipo tiene un guardameta que cuida la bandera a una distancia de tres metros y un carcelero que resguarda la cárcel. La idea es hacer funcionar cierta estrategia con sus compañeros del equipo para llevar la bandera o capturarla y después correr con ella atravesando la línea.

CAPTURE LA PELOTA DE FUTBOL

Si juega CAPTURE LA BANDERA con adolescentes o varones solamente, usted puede tratar esta variación emocionante. Use pelotas de fútbol en vez de banderas. Se puede pasar o correr la pelota sobre la línea para ganar. Si un jugador es tocado, debe mantenerse como prisionero hasta que un compañero de su equipo lo toque y lo libere. Si pasa la pelota a un compañero de equipo del otro lado de la línea que separa los dos territorios y a su compañero se le cae el pase, ambos se hacen prisioneros y van a la cárcel. Si el pase es completo, entonces usted gana.

Puede adaptar las reglas de CAPTURE LA BANDERA si ve que adecuan.

VOLEIBOL DE ELIMINACION

Esta es otra versión de voleibol que es muy divertida. Divida al grupo en dos equipos y jueguen un partido normal de voleibol. Pero, quienquiera que cometa un error o pierda la pelota, sale del juego. El equipo se va reduciendo y reduciendo, y el que logre sobrevivir por más tiempo es el ganador.

VOLEIBOL DE CUATRO EQUIPOS

He aquí una versión loca de voleibol que involucra a cuatro equipos al mismo tiempo. Puede jugarse con cuatro redes o solamente dos. Depende del tamaño de sus equipos y del número de redes que tenga disponibles. También necesita cinco o seis postes. Arregle las redes de acuerdo con uno de los diagramas siguientes. Si usa dos, entonces forme dos ángulos rectos con ellas, como en el diagrama A. Si usa cuatro redes, ate las cuatro al poste del centro, como en el diagrama B.

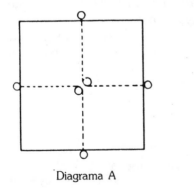
Diagrama A

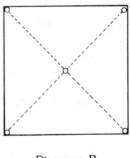
Diagrama B

Los cuatro equipos se ubican en una de las cuatro esquinas de la cancha y el juego se realiza como un partido de voleibol normal, excepto que ahora puede tirar la pelota a cualquiera de los otros equipos. Se puede desarrollar una estrategia interesante ya que el equipo nunca sabe exactamente cuándo vendrá la pelota para su lado.

Una vez que intente esta versión de voleibol, su grupo tal vez nunca más quiera jugar voleibol normal.

PELOTA VOLADORA

Este juego se realiza como el sóftbol con cualquier cantidad de jugadores. Sin embargo, se usa un "platillo volador" en vez de un bate y pelota. Además, cada equipo debe lograr seis afuera en vez de tres. El platillo debe volar por lo menos nueve metros; si no, es una infracción. El equipo ofensivo no tiene que esperar hasta que el equipo defensivo esté listo antes de enviar su bateador a su posición. Esto mantiene al mínimo la poca acción entre una entrada y otra.

TOQUE A CABALLO

Este es un juego disparatado que debe realizarse en una zona con hierba. Cada equipo está formado por un caballo y un jinete. El jinete monta el caballo sentándose sobre la espalda del mismo con los brazos alrededor del cuello. Los jinetes tienen un pedazo de cinta adhesiva oscura que el líder puso en sus espaldas, de manera que se pueda ver y alcanzar fácilmente. Cuando la señal "monten" es dada, los jinetes montan sus caballos e intentan alcanzar la cinta adhesiva de las espaldas de los otros jinetes. El último jinete que quede con la cinta adhesiva en sus espaldas, gana. Sólo los jinetes pueden quitar la cinta de los otros (los caballos son sólo caballos), y si un caballo se cae, entonces ese caballo y el jinete quedan fuera del juego.

BEISBOL DE PUNTAPIE

Este juego puede jugarse en una cancha de béisbol o en un campo abierto. Como en el béisbol normal, un equipo es el que provee los bateadores y el otro está diseminado por la cancha.

El primer "bateador" debe patear la pelota que recibe rodando de uno de sus compañeros del equipo contrario. Si le yerra, hace "foul" o alguien agarra la pelota en el aire, el "bateador" queda fuera. Puede haber hasta tres "fueras" por equipo en cada tiempo de juego. Cuando el "bateador" patea correctamente, los jugadores del equipo contrario (diseminados por la cancha) forman una fila detrás del compañero que agarra la pelota. Estos deberán pasar la pelota por entre sus piernas hasta llegar al último. Este deberá tomar la pelota y tirarla para que le pegue al "bateador".

Mientras tanto, los del equipo bateador forman una fila detrás del compañero que acaba de patear la pelota. Este deberá correr en círculos alrededor de su fila cuantas veces pueda. Se contará un punto por cada vuelta completa antes de ser tocado por la pelota.

SENTADOS EN EL REGAZO

Este es uno de los mejores juegos cooperativos. Se necesita que todos hagan una parte, si no el juego no tiene gracia. Es mejor realizarlo con grupos grandes, de cincuenta a quinientos —o aún más, si tiene el espacio y la gente suficientes.

Haga que el grupo forme un círculo grande, colocándose uno tras otro. Esté seguro de que el espacio entre cada jugador sea casi el mismo. Por lo general, alrededor de 25 a 35 cms. es lo ideal. Entonces, a la señal dada, todos extenderán sus brazos afuera hacia los lados y se sentarán en el regazo de la persona inmediatamente detrás de ellos. Todos soportarán a todos. Pero si una persona está fuera de su lugar, entonces probablemente todo el grupo se caerá.

Lo divertido de este juego es tratar de triunfar en el primer intento. Pero si no se logra, haga que lo intenten de nuevo hasta que el grupo finalmente lo pueda hacer. Después de haber triunfado, haga que el grupo camine mientras están en la posición sentada. Esto realmente necesita coordinación de parte de todos.

FUTBOL PINGUINO

Entregue a cada persona un trapo de 8 cms. de ancho y 60 cms. de largo (una sábana vieja partida en tiras servirá bien). Cada persona se la ata bien fuerte alrededor de sus rodillas para impedirle correr. Los jugadores pueden moverse sólo arrastrando sus pies.

Ahora divídalos en equipos y jueguen al fútbol usando una pelota de esponja. El juego llega a ser divertidísimo cuando los jugadores deben caminar, correr, tirar y patear con sus rodillas atadas. Por supuesto, esto abre la posibilidad de jugar Béisbol Pingüino, Voleibol Pingüino, y un sinnúmero de otros juegos.

CIELO - TIERRA - MAR

He aquí un juego fantástico para un grupo de diez a cien personas. Se debe jugar en una sala bastante grande o afuera. Divida el área de juego en tres secciones. Una sección es el Cielo, otra es la Tierra y la última el Mar. Comience con todos parados en el Cielo. Anuncie el nombre de una zona (aun de la que están parados) y entonces los jóvenes correrán a la zona que usted ha mencionado. La última persona en colocarse en la zona queda afuera. Si los jugadores están en el Cielo, por ejemplo, y usted anuncia "Cielo", cualquier persona que cruce la línea, salte o salga de cualquier otro modo (excepto si es empujada) de la sección de Cielo, queda afuera. El juego continúa hasta que quede una persona la cual es la ganadora

CIELO	TIERRA	MAR

Otras claves para realizar este juego: Permita que lo ensayen unas pocas veces para calentamiento y para alertarlos; anuncie las zonas en voz alta y clara y, de vez en cuando, señale la zona opuesta a la que está anunciando para confundirlos.

BEISBOL DE PODER

He aquí una variación de sóftbol que permite a un grupo mixto participar en competencia. A veces, con una pelota normal de sóftbol, algunas personas tienen dificultad para golpearla fuera de la cancha y por consecuencia son eliminadas fácilmente. En vez de usar una pelota de béisbol y un bate, use una de tenis y una raqueta de tenis. Quienquiera puede dar un buen disparo y es casi imposible no enviarla fuera. Si algunos chicos la envían muy lejos con el nuevo equipo, hágales usar una raqueta de ráquetbol o un bate normal. Este juego es bueno especialmente para grupos grandes, con quince o más personas en cada lado.

EL GRAN ESCAPE

Este antiguo juego es uno de los mejores mixtos para jugar al aire libre. Las señoritas recibirán periódicos enrollados en forma de tubo. Luego se alinearán en dos filas paralelas, enfrentándose a una distancia aproximada de un metro. Los varones atarán globos a sus pantalones (en la presilla del cinturón) y deberán correr entre las dos filas de señoritas mientras ellas tratan de reventar los globos golpeándoles con los periódicos. Una vez que el globo del varón es reventado éste queda fuera. El juego continúa hasta que sólo queda un joven y él es el ganador.

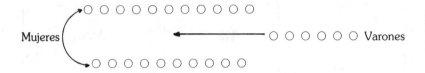

SOFTBOL SIAMES

Este es un buen juego para un grupo demasiado grande como para realizar un partido normal de sóftbol. Los equipos están divididos por igual y los miembros del equipo juegan en pareja enganchándose de los brazos. En ningún momento mientras juegan se les permite desenganchar los brazos o usar los enganchados. Pueden usar sólo sus manos y brazos libres. Se usa una pelota de caucho o de voleibol en vez de una de sóftbol, porque puede ser tomada con los brazos y las manos libres de la pareja. Sólo una persona necesita tirar la pelota.

Cuando les corresponde batear, las parejas toman el bate con sus manos libres juntas. Después de que la pelota es bateada, la pareja debe correr a las bases con los brazos enganchados. Aparte de estas tres excepciones, se aplican las reglas normales de sóftbol.

AGARRAR EL RABO

Divida el grupo en una cantidad de cadenas iguales (una fila de gente en la cual cada persona agarra la muñeca de la siguiente). La última persona en la cadena lleva el rabo (un pañuelo) colocado por detrás. El objetivo es que la primera persona en la cadena agarre el rabo de otra fila. Lo divertido es manejar para conseguir el rabo de alguien mientras trata de cuidar el suyo propio.

TIRON DE CUERDA

El viejo juego de tirar de la cuerda sigue siendo un favorito. Obtenga una soga gruesa y larga, y ponga un equipo en cada extremo de la misma. El equipo que pueda atraer al otro hasta cruzar la línea o hasta un buen pozo de barro en el medio, es el ganador. Para hacer reír, ponga grasa por toda la soga y vea lo que pasa.

TIRON DE CUERDA DOBLE

Atando dos sogas en el medio, para tener cuatro puntas de igual longitud, se puede hacer el tirón de cuerda con cuatro equipos en vez de dos. Dibuje un círculo en el suelo, así cada equipo estará fuera del círculo cuando empiecen a tirar.

Cuando un equipo es arrastrado hasta pasar la línea del círculo, queda eliminado del juego, dejando a los otros tres equipos para tirar contra cada uno. Entonces esos tres juegan hasta que otro sea eliminado y finalmente quedan dos equipos que juegan entre sí. El tirón de cuerda debe hacerse siempre a través del círculo.

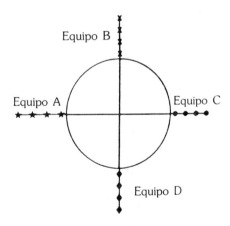

Para un TIRON DE CUERDA TRIPLE, obtenga tres sogas y empiece con seis equipos. ¡Funciona! La ventaja primordial de esta versión de tirón de cuerda es que los equipos menos fuertes, pueden atacar en grupo a los más fuertes y eliminarlos pronto del juego.

3

JUEGOS
AL AIRE LIBRE
PARA
GRUPOS PEQUEÑOS

Todos los juegos en este capítulo son ideales para grupos pequeños de treinta o menos en un escenario al aire libre. Pueden, por supuesto, jugarse con grupos más grandes, frecuentemente con muy poco o nada de adaptación.

Muchos de los juegos en los capítulos 2, 4 y 5 también pueden adaptarse para grupos pequeños al aire libre. Vea especialmente el capítulo 7.

VOLEIBOL DE LIBRO

He aquí otra adaptación del voleibol. Es como el voleibol normal con dos excepciones. Primero, todos deben usar un libro (de cualquier tamaño) en vez de sus manos para pegarle a la pelota. Obviamente, es mejor usar un libro de pasta dura. Segundo, se usa una pelota de tenis o de esponja en vez de una de voleibol. En lo demás se aplican las reglas del voleibol normal.

JOCKEY DE ESCOBA

Este juego puede realizarse con cuantos jugadores deseen; desde cinco hasta treinta por equipo, pero sólo cinco o seis de cada equipo están realmente en la cancha al mismo tiempo. Al sonar el silbato, dos equipos corren a la cancha, toman sus escobas y arrastran una pelota de voleibol puesta en el centro, hasta el arco opuesto. Cada equipo tiene su arquero como en jockey de hielo o el fútbol, quien puede agarrar la pelota con sus manos y tirarla a la cancha. Si la pelota sale de los límites, un árbitro la tira adentro. La pelota no puede ser tocada con las manos o los pies, sólo con las escobas. Se otorga un punto cada vez que la pelota pasa entre los marcadores del arco.

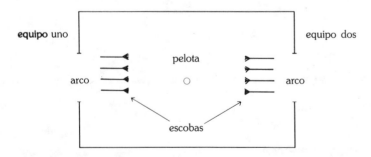

Para un equipo con treinta participantes, por ejemplo, hágalos numerar del uno al cinco, lo que le daría seis equipos de cinco miembros cada uno. Deje jugar a todos los número uno por un período de tres minutos, después los número dos, etc.

BRIGADA DEL BALDE

Para este juego necesita dos equipos. Cada equipo se alínea de a uno con un balde con agua en un extremo y un balde vacío en el otro. Cada miembro de equipo tiene un vaso de cartón. El objetivo del juego es transferir el agua de un balde al otro, echando agua de vaso en vaso a lo largo de la fila. El primer equipo que logre pasar toda el agua al balde vacío, es el ganador.

CARRERA DE CIEMPIES

Este es un juego fantástico que puede ser desarrollado adentro o al aire libre. Todo lo que necesita son algunos bancos. Siente tantas personas como sea posible en cada banco, montados como en caballo. Cuando empieza la carrera, todos deben pararse, inclinarse hacia adelante y levantar el banco, sosteniéndolo entre sus piernas. Luego correrán como un ciempiés. La línea de la meta debe estar de 12 a 15 metros de distancia. Es divertidísimo mirar el juego.

VOLEIBOL CHINO

Este juego se desarrolla como el PING-PONG CHINO (página 77) donde todos se paran alrededor de una mesa de Ping-Pong y rotan alrededor de ella. La única diferencia es que, en vez de usar una mesa de Ping-Pong, se usa una cancha y una pelota de voleibol. La pelota puede rebotar una vez antes de ser golpeada, justo como en el Ping-Pong normal. Este juego también se puede realizar en una cancha de tenis usando las pelotas y raquetas de tenis.

FUTBOL EN CIRCULO

Dos equipos forman un círculo, la mitad en un lado y la otra mitad en el otro.

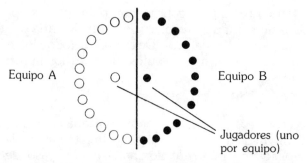

Equipo A

Equipo B

Jugadores (uno
por equipo)

Se tira una pelota al círculo y los jugadores tratan de
patearla hacia afuera por el lado del otro equipo. Si la pelota es
pateada hacia afuera por encima de las cabezas de los jugadores,
el punto va al equipo no pateador. Si la pelota es pateada hacia
afuera bajo las cabezas de los jugadores, el equipo pateador lleva
el punto. No se pueden usar para nada las manos, sólo los pies y
el cuerpo.

Nadie debe moverse de la posición excepto un jugador
movible por equipo quien puede patear la pelota a sus compañeros de equipo si la pelota se queda detenida en el centro. El no
puede patear hacia el otro lado, ni atravesar el territorio del otro
equipo. Si el jugador movible es golpeado con la pelota (cuando
es pateada por el otro equipo) el pateador gana un punto.

FUTBOL LOCO

He aquí otra versión emocionante del fútbol. En muchos casos,
es como el fútbol ordinario, excepto que se usan cuatro arcos en
vez de dos, con cuatro equipos al mismo tiempo, cada cual
defendiendo un arco.

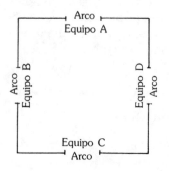

Con esta configuración, pueden tener dos partidos de fútbol desarrollándose a la vez (cada uno por su propio camino). Pueden combinar equipos, de manera que los A y C juegan contra los B y D. Cada equipo combinado entonces debe defender dos arcos. Pueden usar una o dos pelotas.

VOLEIBOL LOCO

Si no tiene suficientes personas para jugar un "verdadero" partido de voleibol o si tiene varios jugadores ineptos, esta es una versión graciosa del juego con unas pocas reglas nuevas.

1. Cada equipo puede tocar la pelota cuatro veces antes de mandarla al otro lado de la red.

2. Cada pelota que rebota en el suelo cuenta como un toque.

Estas reglas mantienen la pelota en el juego por un largo rato.

GRILLOS Y GRULLAS

Divida el grupo en dos equipos. Un equipo son los Grillos y el otro, las Grullas. Los dos equipos forman fila cara a cara a uno o dos metros de distancia. El líder echa al aire una moneda (Caras-Grillos; Sellos-Grullas) y grita el nombre del equipo el cual ganó el tiro. Si grita "Grillos", estos deben girar y correr perseguidos por las Grullas. Si alguna de las Grullas triunfa en tocar a un miembro (o miembros) de los Grillos antes de que atraviese una línea señalada (de seis a dieciocho metros de distancia), éste es considerado un cautivo de las Grullas y debe ayudarles cuando el juego continúa. El equipo que captura a todos los miembros del otro equipo es el ganador.

RUGBY FLAMENCO

Anuncie que van a jugar "al RUGBY, varones contra mujeres". Por lo general, los varones se entusiasman con esa idea. Luego anuncie que las reglas son las mismas de un partido de rugby normal, excepto que los varones deben sostener un pie con una mano todo el tiempo. Ellos deben correr, pasar, caminar y aun patear con un pie. Las mujeres, por lo general, derrotan a los varones en este juego.

PLATILLO-BALONCESTO

La próxima vez que su grupo quiera jugar baloncesto, ¿por qué no intenta éste? En vez de una pelota de baloncesto, use un platillo y tantos jugadores como desee en una cancha normal de baloncesto. Por supuesto, no pueden rebotar un platillo, así que deben avanzar pasándolo. Los árbitros deben cobrar faltas como fouls, caminar con el platillo o tirarlo afuera como lo harían en un partido normal de baloncesto. Los puntos deben otorgarse como sigue: un punto por golpear el tablero, dos por golpear el cuadrado que está en el tablero y tres por hacer una canasta (incluyendo los cuatro tiros). Duplique el puntaje por cada canasta hecha desde detrás de la media cancha.

FUTBOL-PLATILLO

Jueguen un partido normal de fútbol, pero usen un platillo en vez de pelota de fútbol. Los jugadores deben mover el platillo (la pelota) tirándolo al aire, de un jugador al otro. No se puede correr con el platillo. Se aplican las demás reglas del fútbol. Los arcos deben ser cajones que atrapen el platillo cuando se hace un gol. También se podría usar un aro (o llanta) por el cual deba pasar el platillo para anotar un gol. En ese caso, no se permiten guardametas.

Otra versión de este juego es tener una docena o dos de platillos colocados en el centro del área de juego. Cuando el juego empieza, los jugadores tratan de poner en su arco tantos platillos como les sea posible. Una vez que el platillo entra al arco, se queda allí. Otra vez, sólo se puede pasar el platillo, no correr con él. Es realmente un juego divertido.

SOMBRERO Y ESCONDIDA

He aquí un juego que combina lo mejor del toque y la escondida. Una persona se pone un sombrero viejo, tapa sus ojos y da un minuto al resto del grupo para correr y esconderse. Entonces, el portador del sombrero comienza a buscar. (Debe llevar el sombrero puesto y no en la mano.)

Cuando encuentra a alguien y lo toca, esa persona debe ponerse el sombrero, cubrir sus ojos, contar hasta veinte y continuar la búsqueda. Cada persona debe llevar cuenta de cuántas veces se pone el sombrero. El que se lo pone el menor múmero de veces, gana.

FUTBOL DE MESA HUMANO

Muchas iglesias y centros de recreación tienen un fútbol de mesa, el cual es una versión del fútbol original. Usando un campo abierto, se puede reconstruir el formato de la mesa haciendo un partido ameno y rápido de fútbol.

Empiece dividiendo la cancha en diez secciones. Puede dividir la cancha pintando con cal el suelo, o aun mejor, usando una piola o cuerda tendida, marcando la cancha a la altura de la cintura. (Puede pasarla por la cancha y atar sus extremos a unas sillas.)

Una vez que la cancha está dividida, entonces es el momento de arreglar a los jugadores. Cada equipo debe tener igual número de jugadores; normalmente diez es lo correcto, pero puede ajustar el número dependiendo del tamaño de la cancha y la cantidad de personas que quieran participar. Acomode a los jugadores en los sectores correspondientes, como

se ve en el diagrama. Los jugadores que aparecen fuera de los
límites de la cancha son los cuidadores de línea.

Una vez que estén todos ubicados, el juego en sí es simple.
El objetivo es patear la pelota hacia el arco del lado contrario. Se
puede hacer avanzar la pelota usando cualquier parte del cuerpo
menos las manos y los brazos. A diferencia del fútbol normal,
esta regla también se aplica a los arqueros, quienes están
ubicados en la primera sección fuera del arco. Los jugadores sólo
pueden tocar la pelota cuando ésta entra en su sección, y pueden
moverse lateralmente cuando quieran mientras no traspasen los
límites de su sección. Para reforzar esta regla, cada jugador que
traspasa su límite debe abandonar el juego por dos minutos junto
con todos sus compañeros de sección. El trabajo de los
cuidadores de línea es arrojar la pelota a la cancha cuando haya
sido pateada hacia afuera. Como se ve en el diagrama, estos
cuidadores se ubican en forma alternada alrededor de la cancha,
para que el partido no sea injusto hacia ningún equipo. El
número de cuidadores que se usen dependerá del número de
participantes.

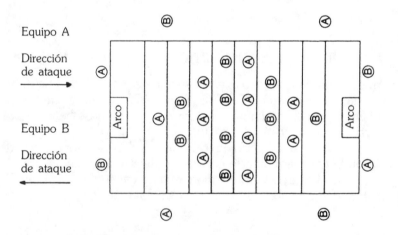

He aquí algunos consejos útiles para mantener el juego en
movimiento: Asegúrese de que los cuidadores devuelvan la
pelota tan pronto como la reciban, desarrolle un sistema de
rotación para que todos puedan jugar en diferentes posiciones y

por último, use cualquier pelota redonda y pesada para que el juego resulte mejor.

FUTBOL NEUMATICO

Este es un partido de fútbol que usa los reglamentos normales del juego, sólo sustituyendo un neumático (llanta de automóvil) por la pelota de fútbol. Verdaderamente esto da una nueva dimensión al juego. El neumático debe estar horizontal y la superficie del juego debe ser relativamente plana y suave.

FUTBOL ALINEADO

Esta es una variación del fútbol que es sencilla y muy divertida. Divida su grupo en dos equipos iguales. Cada equipo se enumera y se alínea en posición opuesta al otro a una distancia de nueve metros. (Puede usarse el piso de un gimnasio.) Se puede dibujar una línea enfrente de cada equipo para designar el área de patear.

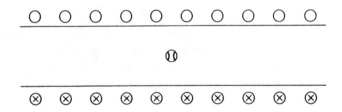

Se coloca una pelota en la mitad de la cancha y un árbitro llama un número. Los jugadores de cada equipo con ese número corren hacia la pelota y tratan de patearla para que atraviese el equipo opuesto (pasando su línea). Debe pasar entre ellos, debajo de las cabezas (o bajo la cintura) para contarse como gol. Los defensores pueden tomar la pelota y tirarla a su propio jugador o patearla cuando viene hacia ellos. Después de un minuto o dos, el árbitro llama un nuevo número. El juego se vuelve divertido cuando llama varios números al mismo tiempo.

Una buena variación de este juego es realizarlo con cuatro equipos. Las cuatro líneas se acomodan como formando un

cuadrado. Cuando un número es llamado, cuatro jugadores
(uno de cada equipo) corren al centro y tratan de patear la pelota
a cualquiera de los otros tres equipos. Es verdaderamente un
juego loco.

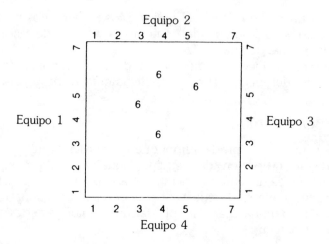

FUTBOL MONO

Otra manera de hacer un partido de fútbol aún más desafiante,
es haciendo que los jugadores usen sus manos (puños) en vez de
sus pies para empujar la pelota. Los jugadores deben moverse en
cuclillas, así sus manos casi tocarán el piso.

VOLEIBOL NUEVO

He aquí una nueva manera de realizar el antiguo juego de
voleibol. Este juego puede jugarse en una cancha normal de
voleibol con la cantidad normal de jugadores en cada equipo y
usando una pelota normal. La principal diferencia es la anotación.

El objetivo del juego es que el equipo se pase la pelota
cuantas veces sea posible sin fallar (hasta cincuenta veces) antes
de mandarla por sobre la red al equipo contrario que hará todo
lo posible para hacer lo mismo sin fallar. Si fallan, el equipo
contrario recibe tantos puntos como pases hicieron antes de

devolverla. Todos los pases deben ser contados audiblemente por el equipo completo (o por tanteadores en las líneas laterales). Esto ayuda en el proceso de anotación y también ayuda a aumentar la tensión. Así la idea es pasar la pelota tantas veces como sea posible cada vez que la pelota llegue a su zona, para luego devolverla con seguridad, y esperar que el otro equipo la pierda.

Las siguientes son otras reglas:

1. Nadie puede tocar la pelota dos veces consecutivas.
2. Dos personas no pueden pasarse la pelota una a la otra más de una vez sucesivamente para aumentar el número de pases. En otras palabras, el jugador A la envía al jugador B, pero el B no puede devolverla al A. El jugador A puede golpearla de nuevo después de que alguien más la haya tocado además del jugador B.
3. Se otorgan cinco puntos al equipo que saca si el contrario falla al devolver un saque.
4. Se otorgan cinco puntos al equipo receptor si el saque falla (la pelota va fuera, a la red, etc.).
5. Los jugadores rotan en cada saque, aun si el equipo que saca mantiene varios saques sucesivos.
6. Un partido dura quince minutos. El equipo con puntaje más alto, gana.
7. Todos los demás reglamentos del voleibol son válidos.

SARDINAS

Este juego es en realidad las escondidas al revés. El grupo escoge a una persona. Esta persona se esconde mientras el resto del grupo cuenta hasta cien (o se da una señal). Entonces el grupo comienza a buscar a la persona escondida. Cada persona debe buscar individualmente, pero pueden formarse grupos pequeños (dos o tres) y buscar juntos. Cuando una persona la encuentra, se esconde con ella en vez de avisar al grupo. El lugar del escondite puede cambiarse un sinnúmero de veces durante el juego. La última persona que busca al grupo escondido el cual viene ahora a ser como un grupo de sardinas, es el perdedor o el que deberá esconderse en el siguiente juego.

VETE

He aquí un antiguo juego que, probablemente, resultará nuevo para muchos. Para jugarlo se necesita una pelota de voleibol o una grande de plástico. Asigne un número a cada jugador, reservándose dos números misteriosos que no los asignará a nadie. Ninguno sabe cuáles son estos números misteriosos, salvo el líder.

La persona que tiene la pelota, la arroja al aire y anuncia un número. Todos se dispersan, salvo aquél cuyo número ha sido anunciado. Este debe tomar la pelota y gritar "¡Alto!". Luego tratará de pegar a alguien con la pelota. Si lo consigue, el jugador tocado recibe una letra (V, E, T, o E). Si falla, el que arrojó la pelota recibirá la letra.

Si alguno anuncia uno de los números misteriosos, entonces automáticamente todos reciben una letra. Estos números misteriosos sólo pueden mencionarse una vez.

Las personas que reciban las cuatro letras V E T E son eliminadas.

PATEAR EL ZAPATO

Para este juego sencillo, haga que los jóvenes se saquen uno de los zapatos y lo sostengan del cordón delante de su pie. La idea es ver quién puede patear su zapato lo más lejos posible. Usted se sorprenderá de ver cómo los jóvenes patean el zapato sobre sus cabezas, detrás de ellos, o directo al aire.

FUTBOL SOLO

He aquí una versión del fútbol que debe apelar a todos los individualistas rigurosos en su grupo. Organice a los jugadores en un círculo grande con un pequeño espacio entre ellos. Marque un arco cerca de cada jugador clavando dos estacas en la tierra aproximadamente a dos metros de distancia. El objetivo es proteger su propio arco mientras trata de anotar a través del de los otros. La última persona que toca la pelota antes de entrar al arco recibe un punto. La persona a quien le hacen el gol recibe un punto negativo. No se deben permitir los goles pateados por encima de la cabeza del arquero.

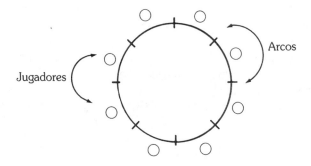

EL PAÑUELO EN CIRCULO

Dibuje un círculo grande con líneas para hacer filas en los lados opuestos del círculo. Localice el centro. (El diámetro de circunferencia es aproximadamente de cinco metros. Se puede pintar el campo con cal.) Haciendo que la línea de la fila sea curva, todos los jóvenes pueden ver la actividad sin interferir con la acción del juego.

Ponga el "pañuelo" (una camiseta vieja, una esponja o una pelota pequeña) en el centro. Los jugadores hacen fila. La primera persona en cada equipo, a la señal indicada, corre al centro y trata de agarrar y llevarse el pañuelo, pasando la línea de marcación del círculo. Si la persona con el pañuelo es tocada, entonces la que la toca recibe un punto. Si, después de un tiempo determinado (treinta segundos), ningún jugador recoge el pañuelo, toque el silbato y los siguientes dos jugadores pueden unirse a los del círculo. Cuando dos miembros del equipo trabajan juntos, se pueden pasar el pañuelo entre ellos.

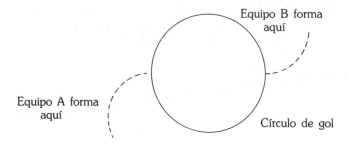

Ventajas:
1. El círculo permite a una persona correr en cualquier dirección para anotar puntos.
2. Los equipos no tienen que ser iguales; de hecho, es mejor si no lo son, así los jugadores nunca compiten contra las mismas personas en los turnos siguientes.
3. No tiene que enumerar a los jugadores o llamarlos por números.

PASAR ENTRE LAS PIERNAS

Tenga a los equipos formados en fila, abriendo lo suficiente las piernas, de manera que alguien pueda gatear entre ellas. Todos deben tener sus manos en las caderas de la persona de adelante. Las filas deben estar detrás de la línea de partida. En la señal indicada, la última persona gatea entre las piernas de su equipo y se para al frente de la fila. Tan pronto como se pone de pie, la persona que está ahora al final de la fila, gatea y así sucesivamente. La fila se mueve hacia adelante y el primer equipo que pasa la línea de la meta, gana. Sólo una persona por equipo puede gatear a la vez.

CUERDA EN LA RUEDA

Consiga una cuerda grande, de siete metros de largo y ate las dos puntas juntas, haciendo un lazo redondo. Cuatro equipos se colocan en fila formando los cuatro lados de un cuadrado. En el centro del cuadrado, se coloca la cuerda abierta en círculo. Los equipos deben ser iguales en tamaño y cada uno debe enumerarse. Luego el líder anuncia un número y los cuatro jóvenes (uno de cada equipo) con ese número agarran un lado de la cuerda y tratan de regresar hasta cruzar la línea de su equipo. Tan pronto como el jugador atraviesa la línea (tirando de la soga), es declarado ganador. Continúe hasta que todos hayan hecho el intento.

4

JUEGOS DE INTERIOR PARA GRUPOS GRANDES

Los juegos de este capítulo son adecuados para el interior con grupos de treinta o más. Ya que la mayoría de ellos requieren bastante espacio, juéguelos en un gimnasio, salón de actos o sala de recreación.

Muchos de estos juegos se pueden jugar fácilmente al aire libre y con grupos pequeños o grandes. No olvide que hay más juegos para realizar adentro con grupos grandes en los capítulos 6 y 7 y también en otros capítulos.

RONDA ANATOMICA

Este juego es una variación de PAJARITO EN LA PERCHA (página 48). El grupo busca parejas y se forma en dos círculos, uno dentro del otro. Un miembro de cada pareja está en el círculo interior, el otro está en el círculo exterior.

El círculo exterior comienza a girar hacia la derecha y el círculo interior hacia la izquierda. El líder toca el silbato y grita algo como: "Mano, oreja". La primera parte del cuerpo mencionada pertenece siempre al grupo interior y éstos deben encontrar a sus compañeros quienes están quietos (no pueden moverse después del sonido del silbato) y tocar con la primera parte del cuerpo dicha, a la segunda parte corporal mencionada en sus compañeros. Por ejemplo, con "Mano, oreja" el grupo del círculo interno debe buscar a sus compañeros y poner su mano en la oreja de su compañero. La última pareja en obtener la posición apropiada es eliminada cada vez y la última pareja que queda en el juego, gana. El líder mencionará todo tipo de combinaciones, como éstas:

"Dedo, pie"   "Nariz, hombro"
"Muslo, muslo"   "Cabeza, estómago"
"Codo, nariz"   "Nariz, oreja"

REVENTAR EL GLOBO

Dé a cada uno un globo y un pedazo de cordel. Se infla el globo y se lo ata alrededor de la cintura, para que cuelgue en la parte de atrás del jugador. También, cada jugador hace un "reventador de globos" enrollando un periódico y pegándolo con cinta adhesiva. El objetivo es reventar los globos de los otros jugadores, pegándoles con su reventador de globos mientras protege el suyo moviéndose lo más rápido posible. Una vez reventado el globo de un jugador, éste queda fuera del juego. El último jugador que queda en el juego, gana.

CORRAL

Dé a cada persona un pedazo de papel doblado con el nombre de un animal escrito. La persona no debe decir ni una sola palabra ni mirar el papel. Se sentará y esperará las demás instrucciones. (Para asegurarse de que los equipos sean iguales asigne el mismo animal a cada sexta persona.) Después de que todos se hayan sentado, se le dice al grupo que mire el nombre de su equipo (el animal) y cuando las luces se apaguen, se pararán inmediatamente y harán el sonido de sus animales, como éstos:

Cerdo	Pollo
Caballo	Pato
Vaca	Perro

Tan pronto como encuentren a alguien que esté haciendo el mismo sonido, se enganchan de brazos y tratan de hallar a los demás compañeros. Cuando las luces se encienden, todos se sientan. El equipo *más* unido, gana. Para añadir gracia, entregue a un joven del grupo la palabra "burro" en su pedazo de papel. El estará buscando alrededor a más burros sin tener ninguna suerte.

PELOTAS LOCAS

Este es un juego único que requiere poco talento, incluye a un número ilimitado de personas, y es muy activo.

El objetivo es que el grupo mantenga muchas pelotitas en movimiento durante el mayor tiempo posible, antes de cometer seis faltas.

Este juego se desarrolla en un gimnasio o salón grande y requiere de tantas pelotitas (de tenis, ping-pong, etc.) como participantes.

Tres árbitros se ubicarán en el salón: uno en cada extremo y otro en el medio.

Los jugadores se dispersan por el lugar de juego y, para comenzar el partido, el árbitro que está en el medio pondrá en movimiento una pelotita por cada participante (si hay 20 jugadores, entonces habrá 20 pelotitas). El árbito tirará todas las pelotas al mismo tiempo, haciéndolas rodar, rebotar, o como prefiera. Los jugadores deben mantener las pelotitas en movimiento usando sólo los pies. Se las pueden pasar unos a otros o simplemente patearlas sin dirección fija. No se las pueden detener debajo de un pie o mantenerla pasando de un pie a otro.

La función de los árbitros es observar las pelotitas para ver si alguna se detiene. Si ven una detenida, el árbitro gritará (o tocará el silbato) y la señalará. Los jugadores tienen cinco segundos para volver a ponerla en movimiento (el árbitro puede contar hasta cinco en voz alta) antes de que el árbito grite por segunda vez. Cada grito (o silbato) es una falta. A los seis gritos de los árbitros se acaba esa vuelta. Pueden hacer varias vueltas para calcular cuánto tiempo pasa antes de los seis gritos o faltas.

Para hacer el juego más interesante, el árbitro del medio pondrá en movimiento una pelotita adicional cada quince segundos hasta que termine la vuelta.

PAJARITO EN LA PERCHA

Haga que los jóvenes busquen parejas y formen dos círculos concéntricos. Si hay parejas de varón y mujer, entonces los varones deben de estar en el círculo exterior y las mujeres en el círculo interior.

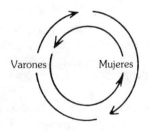

A la señal indicada, el círculo de los varones empieza a moverse a la derecha y el círculo de las mujeres se mueve a la izquierda. Cuando el líder grita: "¡Pajarito en la Percha!" los varones paran donde están y se caen en una rodilla. Las mujeres rápidamente deben localizar a su compañero, sentarse sobre la rodilla extendida y poner sus brazos alrededor del cuello. La última pareja en lograr esa posición es eliminada. El juego continúa hasta que quede sólo una pareja.

CORRAL DE CUMPLEAÑOS

Este juego es una adaptación de CORRAL (página 47). Entregue a cada persona una lista como la siguiente. Después de que todos hayan recibido la lista, indique a los jugadores que miren la actividad descrita para el mes de sus cumpleaños. Cuando se apagan las luces, se pondrán de pie inmediatamente y harán la actividad apropiada. Tan pronto como encuentren a una persona haciendo lo mismo, se engancharán de brazos y buscarán al resto del equipo. Cuando todo el equipo se junte, se sentarán. El primer equipo que encuentre a todos sus miembros, gana.

Enero: Grite "¡Feliz Año Nuevo!"
Febrero: Diga "Sé mi Valentín"
Marzo: Sople (viento)
Abril: Mueva las manos de arriba abajo (lluvia)
Mayo: Diga "Mamá, te quiero"
Junio: Diga "Feliz día, Papá"
Julio: Haga sonidos de fuegos artificiales
Agosto: Cante
Septiembre: Cáigase repetitivamente
Octubre: Grite "¡Boo!"
Noviembre: Haga como pavo "Gobble, gobble"
Diciembre: Diga "¡Feliz Navidad!"

NOTA: en los países o hemisferios donde las actividades sugeridas no coinciden con los meses establecidos, sugerimos que cambie las actividades de acuerdo con su región. He aquí algunas alternativas:

Día de la Independencia, Día del Niño, imite con sus brazos el vuelo de una mariposa (primavera), Descubrimiento de América, comienzo de clases, Día del Trabajo.

CARRERA DE CUMPLEAÑOS

Divida el grupo en dos equipos de igual tamaño. Cuando dé la señal, cada equipo deberá alinearse según la fecha de nacimiento, con la persona más joven en una punta de la línea y la mayor en la otra. La segunda vuelta puede hacerse por cumpleaños (sin importar la edad) con enero 1(el primer cumpleaños en el calendario) en un extremo y diciembre 31 (el último cumpleaños en el año) en otro.

SARDINAS CIEGAS

Este es un juego no competitivo para grupos grandes. Se necesita una venda para cada uno. Para empezar, designe a una persona (o un voluntario) para ser la sardina. La sardina puede o no puede llevar puesta una venda (a su elección). Todos los demás jugadores deben llevar vendas y su objetivo es estar en contacto con la sardina. Al deambular los jugadores por el salón, cuando uno toca o se topa con otro, lo toma al otro y le pregunta: "¿Eres la sardina?" La sardina debe contestar: "Sí" al ser interrogada. Una vez que una persona encuentra a la sardina, debe prenderse a ella. Eventualmente más y más jugadores se topan con la fila de sardinas y se añaden a la cadena. El juego se acaba cuando todos han formado parte de la cadena de sardinas.

FUTBOL DE ESCOBA

Acomode las sillas formando un óvalo abierto en ambos extremos. Siente un número igual de personas de ambos lados. Cada una tiene un número, repitiendo los mismos números en el otro equipo. En otras palabras, debe haber un jugador número uno en cada equipo, un número dos en cada equipo, y así sucesivamente. Para empezar, los números uno irán al centro y recibirán una escoba. Se tira al medio una pelota de goma o plástico y empieza el juego. Los dos jugadores tratarán de pegarle a la pelota con las escobas para atravesar el arco del oponente. Asigne uno de los dos extremos abiertos del óvalo a cada equipo como su arco. El árbitro puede gritar en cualquier momento un nuevo número. Los dos jugadores en el centro deben dejar las escobas donde están y los dos nuevos jugadores tomarán las escobas y continuarán. El juego sigue mientras la pelota está en el óvalo. Si es golpeada hacia afuera, el árbitro la devuelve al juego. Los jugadores en las sillas no pueden tocar la pelota con sus manos (intencionalmente) pero pueden patearla si les toca sus pies.

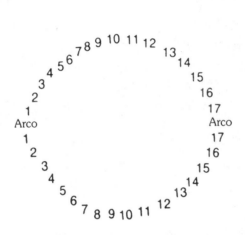

CATASTROFE

Este juego puede usarse con un grupo de 24 o más personas. Divida el grupo en tres equipos y haga sentar en sillas a cada equipo, formando tres filas paralelas con un metro de distancia entre cada una. Todos los jugadores deben mirar en la misma dirección hacia el frente de la fila de su equipo. (Cada jugador se sienta con la cara frente a la espalda del compañero de equipo.)

Cada equipo elige el nombre de un pueblo para su equipo (cualquier nombre vale). A cada jugador, en cada equipo, se le asigna una ocupación como plomero, carpintero, policía, predicador, profesor, doctor, ebanista, herrero, etc. Debe haber las mismas ocupaciones en cada equipo y deben sentarse en el mismo orden.

Entonces el líder anuncia una ocupación y un pueblo como: "Necesitamos un policía en Villa del Toro". En ese instante, los policías de cada equipo deben levantarse de sus sillas, correr alrededor de su equipo y regresar a sus lugares. La primera persona que regresa a su silla gana un punto para su equipo.

● plomero	●	●
● carpintero	●	●
● predicador	●	●
● policía	●	●
● profesor	●	●
● doctor	●	●
● mecánico	●	●
● bombero	●	●
Maravilla	Villa del Toro	Colimas

Un cambio adicional a este juego es que los jugadores corran alrededor de sus equipos en la dirección correcta. Esto es determinado por cuál pueblo es anunciado. Por ejemplo, si las filas de los equipos están arregladas así: Maravilla a la izquierda Colimas a la derecha y Villa del Toro en el medio, entonces si se anuncia a Colimas, todos deben salir de su silla a la derecha y correr alrededor del equipo en la dirección (derecha) del reloj. Maravilla sería izquierda y si se anuncia Villa del Toro, cualquier dirección está bien. El que no corre en la dirección correcta, pierde.

Si el líder grita: "¡Hay una catástrofe en (pueblo)!" entonces los miembros de los tres equipos se levantan y corren alrededor de su equipo, de nuevo en la dirección correcta. El primer equipo completamente sentado es el ganador. Recuerde que todos deben levantarse de su silla en el lado correcto y correr en la dirección correcta.

TOQUE EN CADENA

He aquí un juego de movimiento rápido que puede desarrollarse tanto adentro como afuera. Es un juego de toque ("mancha") donde una persona empieza y su trabajo es capturar a otros. Cuando captura a alguien, entonces los dos juntan sus manos y continúan capturando a la gente como una unidad. Una vez que haya ocho en el grupo, se separan y forman dos grupos de cuatro. Estos equipos de cuatro continúan tratando de capturar al resto de la gente. Cada vez que capturen cuatro más, rompen y forman un nuevo grupo de cuatro. El resultado consiste en varios grupos persiguiendo a los jugadores libres quienes no han sido capturados. El juego continúa hasta que todos sean capturados. Correr en grupos es divertido.

BROCHES (PINZAS) DE ROPA

He aquí un juego divertido pero sencillo y gracioso para jugar con cualquier tamaño de grupo. Dé a todos en el grupo seis broches de ropa. A la señal, cada jugador trata de prender sus broches en la ropa de los demás jugadores. Cada uno de sus broches deben colgarse en seis diferentes jugadores. Deben mantenerse en movimiento, evitando tener broches de ropa en uno mismo mientras trata de colgar sus broches en algún otro.

Cuando haya prendido todos sus broches, se mantiene en el juego, pero tratará de evitar que le prendan más broches. Al final del tiempo límite, la persona con la menor cantidad de broches es la ganadora y la persona que tenga más es la perdedora.

Otro modo de jugar es dividiendo el grupo en parejas y dándole a cada persona seis broches de ropa. Cada persona, entonces, trata de colgar todos los broches en su compañero. Cuando suena el silbato, el jugador con menos broches en su ropa es el ganador. Los triunfadores continúan jugando por parejas hasta que quede un campeón.

MASAS

En este juego pueden participar hasta mil personas. La gente se amontona en el centro con sus brazos a los lados. Se les instruye a que se mantengan en movimiento amontonándose hacia el centro. Deben mantener sus brazos en los costados. El líder toca el silbato para detener todo movimiento e inmediatamente grita un número. Si el número es cuatro, por ejemplo, todos deben unirse para formar grupos de cuatro, engancharse de los brazos y sentarse. Los árbitros entonces eliminan a aquellos que no son grupos de cuatro. Esto se repite, con diferentes números cada vez, hasta que todos hayan sido eliminados.

Una variación de este juego es llamada "Cacerola: Bang Bang". En este juego, no se grita un número. En vez de eso, el líder golpea una olla con una cuchara grande de metal. Los jugadores deben escuchar y contar los golpes. Si el líder golpea cinco veces la olla, entonces los jugadores deben formar grupos de cinco.

Usted puede añadir otro elemento al juego dividiendo al grupo en dos equipos separados. Entonces los jugadores se mezclan hasta que el líder grite (o golpee) un número. En ese instante, deben formarse grupos del número señalado, pero sólo con miembros de su propio equipo.

TOQUE DE MASAS

He aquí un juego fantástico que combina "el toque" con "MASAS". Puede ser jugado con cualquier cantidad de personas en un espacio con límites, como un salón grande o una cancha de baloncesto. Una persona es la que toca. El líder debe tener un altavoz o un silbato muy potente.

El juego empieza cuando todos se mezclan, incluyendo a la persona que toca. Tan pronto como suene el silbato, la persona que toca puede empezar a agarrar a la gente. El árbitro suena el silbato cierto número de veces en una sucesión rápida. Por ejemplo, si el silbato suena tres veces, la gente trata de incluirse en un grupo de tres, como en MASAS. Cualquiera que esté en un grupo de tres, no puede ser tocado. La persona que toca debe tener aproximadamente 30 segundos para atrapar a tantos como sea posible. Cuando suena el silbato otra vez, todos empiezan a mezclarse de nuevo, salvos por el momento. El árbitro entonces suena el silbato otra vez cierto número de veces y nuevamente todos deben involucrarse en el tamaño apropiado del grupo y engancharse de brazos para estar seguros. El juego sigue con el árbitro cambiando constantemente el número de silbidos. Habrá siempre gente de sobra corriendo alrededor como loca sin un grupo y sin su seguridad. Si tiene un sistema de altavoces, o si el árbitro puede gritar lo suficientemente fuerte, el juego podría realizarse con el simple grito del número apropiado en vez de usar el silbato. La gente atrapada debe salir del juego y el ganador o los ganadores son aquellos que quedan, cuando el tiempo se acaba o no haya más gente para atrapar. Para grupos más grandes, debe tener más de una persona que toca. Una buena idea para esta persona es tener un sombrero gracioso, una camisa o algo que ayude a que todos puedan identificarlo.

DOMINO

Este es un juego maravilloso que no sólo es divertido para jugar, sino también para observarlo. Además, es fácil para jugar y no requiere utensilios. Los equipos forman filas paralelas. Debe haber el mismo número de personas en cada fila y todas deben dar la cara al frente. A la señal (silbato, etc.) la primera persona de cada fila se sienta en cuclillas, entonces cada persona en turno hace lo mismo todo el camino hasta el final de la fila del equipo. (No puede sentarse en cuclillas hasta que la persona delante suyo se ponga en cuclillas primero.) La última persona en la fila se sienta en cuclillas y rápidamente se para otra vez y en reverso, cada persona se pone de pie en sucesión. (Otra vez, usted no puede pararse hasta que la persona detrás suyo se pare primero.) El primer equipo con la persona de pie al frente de la fila es el ganador.

Este juego se parece más a un dominó parado donde cada pieza cae en sucesión, excepto que aquí las piezas primero se bajan y luego suben nuevamente. Funciona mejor con un mínimo de veinte o algo similar en cada fila (cuantas más personas es mejor). Haga que el grupo ensaye varias veces para adquirir velocidad.

UVAS AL AIRE

Divida el grupo en equipos de aproximadamente diez personas. Cada equipo forma un círculo y elige a un miembro para ser el tirador de uvas. El obtiene una bolsa de uvas (o alguna golosina esponjosa si prefiere) y se para en el centro del círculo. Al dar la señal, él tira al aire una uva a cada miembro de su equipo en el círculo, una a la vez y el participante debe de atrapar la uva en su boca. El tirador no puede tirar al siguiente jugador hasta no haber tenido éxito con el anterior. El primer equipo que complete el círculo es el ganador.

CACERIA HUMANA

Divida el grupo en equipos y permita que cada uno escoja un líder. Todos los miembros del equipo deben permanecer dentro de un área designada. Un juez se coloca en una posición equidistante para todos los equipos. Por ejemplo, si hay cuatro equipos, entonces éstos pueden colocarse en las cuatro esquinas del salón y el juez puede pararse en el medio.

El juez menciona una característica similar a las siguientes y el líder de cada equipo trata de localizar a alguien en el equipo que cumpla esa característica. Tan pronto como encuentre a alguien, el líder toma a esa persona por la mano y ambos corren como locos al juez. El primer líder de grupo que palmotee al juez (llevando a la persona apropiada) gana puntos para su equipo.

Estas son algunas características que sirven de ejemplo:

Alguien que . . .

1. Tiene ojos negros y pelo rubio
2. Recibió todas las calificaciones sobresalientes en su boletín
3. Comió huevo hoy
4. Corre diariamente
5. Está saliendo formalmente con alguien
6. Le gusta la espinaca
7. Envió una tarjeta a un(a) amigo(a) hoy
8. Memorizó un versículo bíblico en esta semana
9. Viajó a otro país en este año
10. Lleva puestos zapatos deportivos
11. Está masticando chicle ahora mismo
12. Vino en un automóvil azul
13. Recibió una boleta de tránsito por alguna infracción este mes
14. Tiene una peca o lunar en su cara
15. Recibió una carta amorosa hoy

PELOTA ASESINA EN EL INTERIOR

Para este juego se necesita una sala casi indestructible con suficiente espacio para correr. Dos equipos del mismo tamaño forman filas en las paredes opuestas, a cerca de un metro de distancia de la pared. Los miembros del equipo se enumeran.

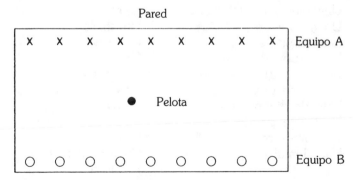

Se coloca una pelota en el medio del salón, (puede ser cualquier pelota grande). El líder anuncia un número y los dos jugadores con ese número (uno de cada equipo) corren al medio y tratan de pegarle a la pared del equipo opuesto con la pelota. El equipo parado en frente de la pared trata de detener la pelota.

Los jugadores tratan de hacer un gol de cualquier modo, llevando la pelota ellos mismos, tirándola, pateándola, rodándola, etc. Todo es legal.

CACERIA PARA INTERIOR

Divida el grupo en equipos. Cada equipo se va a una esquina del salón con usted en el medio. Cada equipo nombra a un capitán que llevará las cosas de su equipo para entregárselas a usted. Usted pedirá varios objetos que pueden estar en el grupo y cada equipo tratará de localizarlos entre sus miembros. Luego se los dará al capitán quien en seguida correrá para entregárselos al director. El primer equipo que consiga el objeto nombrado ganará cien puntos y después de veinte o más cosas, el equipo con más puntos será el ganador. Asegúrese de que todos los corredores recorran aproximadamente la misma distancia. Aquí hay algunos ejemplos de objetos que puede pedir.

Un peine blanco
Una media roja
Una moneda
Una tarjeta de estudiante
Un rizador de pestañas
Una camiseta blanca
Un cordón de zapato
Cuatro cinturones atados
Lentes oscuros
Foto de algún artista
Un billete de $20
Un sombrero
Hilo dental

Un anillo o pulsera turquesa
El calcetín más oloroso que pueda hallar (usted juzgará quién es el ganador)
Un chicle
Un boleto de cine o teatro
Una foto de su mamá
Un alicate para uñas
Una caja de fósforos
Botas
46 centavos exactamente
Un pañuelo
Un reloj Bulova
Un libro sin figuras

EL REY DEL CIRCULO

Este juego siempre es un favorito, especialmente con los varones. Es un juego de habilidad física. Simplemente trace un círculo en el suelo (o un cuadrado para el REY DEL CUADRA-DO) y haga que todos entren. Entonces a la señal indicada, el objetivo es echar a todos los demás fuera del círculo mientras uno trata de quedarse solo. La última persona que permanece en el círculo es la ganadora. Necesitará árbitros para brindar seguridad y para detectar a los jugadores que permitan que cualquier parte de su cuerpo salga del círculo (ellos quedan fuera).

EL REY DE LOS CHIVOS

Escoja a un "chivo" del grupo (o uno de cada equipo) y sáquelo mientras se dan instrucciones a los grupos. Un grupo se ubicará en las paredes laterales y gritará las direcciones al chivo, mientras el grupo circular (otro grupo) formará un círculo tomándose de las manos. Se pone al chivo vendado en el centro del círculo. A la señal indicada, el chivo empieza a perseguir al círculo y este debe moverse como un todo evitando ser atrapado. Cuando el chivo esté listo para empezar, se instruye al grupo circular en su presencia para que se mueva silenciosamente y no haga ruido. El chivo escuchará las instrucciones del grupo de las paredes laterales para atrapar al círculo. Tan pronto como se dé la señal, la gente empezará a gritar las instrucciones al chivo, como: "Camina a la derecha, a la derecha, ahora regresa, regresa, sigue recto". Al momento de empezar el juego, el equipo circular, instruido antes de la llegada del chivo, se desbanda inmediatamente y se une a la gente, dejando al chivo en un campo vacío. Deje correr al chivo por un poco de tiempo o hasta que él se dé cuenta de lo que está pasando. Para esto esté seguro de elegir a alguien que sepa aceptar las bromas.

CHICOS CUBICOS

Este juego es justamente el opuesto del REY DEL CIRCULO. Trace un cuadrado en el suelo (tan grande o pequeño como usted prefiera) y vea cuántas personas puede meter cada equipo en el cuadrado. Cualquier manera es legal, con tal de que ninguna parte del cuerpo toque el piso fuera del cuadrado. Establezca un tiempo límite y haga que los equipos compitan para ver quién gana.

JALEO DE FILA

Divida el grupo en dos equipos iguales. Los equipos se enfrentan en los dos lados de una línea dibujada en el piso. El objetivo del juego es atraer al otro equipo para su lado de la línea. No puede retroceder en su lado de la línea más de un metro y debe tratar de estirarse y atrapar a alguien en el otro lado de la línea sin pisarla. Una vez que pisa la línea, automáticamente es miembro de ese equipo, entonces debe tratar de ayudar a atraer a otros del equipo en el cual estaba antes. Al final del tiempo establecido, gana el equipo con el mayor número de jóvenes.

SOMBRERO LOCO

Este es un juego para todos, y es verdaderamente loco. Todos deben tener una gorra o sombrero. Para alargar el juego, usen gorras de lana para frío. Entregue a todos un "bate" (una media bien rellena con tela o algo suave). Cuando se da la señal, todos tratan de hacer caer la gorra de los demás mientras mantienen la suya. No se puede usar las manos para proteger su gorra o a sí mismo y no puede derribar la gorra de alguien con otra cosa que no sea el "bate". Cuando se le cae su gorra, queda fuera del juego. Vea quién dura más.

REVUELTO MATEMATICO

Divida el grupo en equipos.. Cada persona lleva un pedazo de papel con un número escrito. (Los números deben empezar con cero y terminar en el número de participantes en el equipo.) El líder se para equidistante de cada equipo y grita un problema matemático, como "2 por 8 menos 4 dividido por 3". El equipo debe enviar la persona que lleva la respuesta correcta (por ejemplo, la persona que lleva el número "4") al líder. No se permite al equipo hablar. La persona correcta simplemente debe levantarse y correr. La primera respuesta correcta que llegue al líder gana cien puntos. El primer equipo que alcance mil puntos (o un número más alto) gana.

ESPALDAS MUSICALES

Este se parece bastante·a las sillas musicales y a los juegos de eliminación. Los participantes simplemente deambulan por el salón y cuando la música se detiene (o cuando suena el silbato), todos encuentran rápidamente a otra persona y se paran dándose la espalda uno al otro. Cuando hay un número impar de personas quedará alguien sin compañero y será eliminado. Cuando hay un número par de personas jugando, se pone una silla y cualquiera puede sentarse y estar seguro. Naturalmente, de un modo alternado se necesitará retirar la silla. Indique que todos deben mantenerse en movimiento y los jugadores no pueden emparejarse con la misma persona dos veces seguidas. La última persona gana. Es muy divertido.

VARONES MUSICALES

Este juego se desarrolla exactamente como las sillas musicales, excepto que se usan varones en vez de sillas. Los varones forman un círculo, apoyando sus manos y rodillas en el piso y mirando hacia el centro. Las señoritas (siempre debe haber una más que el número de varones) se paran detrás de ellos y al inicio de la música (o al sonido de un silbato), las chicas empiezan a girar en dirección de las manecillas del reloj alrededor de los varones. Cuando se detiene la música (o suena el silbato de nuevo), las chicas atrapan cualquier joven colocándose tras él y sujetando sus pies. La chica sin varón queda afuera. Las chicas deben animarse a "pelear" por su varón. Juéguelo de nuevo con una chica y un chico menos en el círculo. La última chica es la ganadora.

SOMBREROS MUSICALES

Escoja seis jóvenes para pararse en un círculo, todos mirando en una misma dirección, ya sea a la derecha o a la izquierda. Cinco de los jóvenes se ponen sombreros (o pueden usar baldes al revés) y cuando la música empieza (o se da la señal), cada joven toma el sombrero de la cabeza de la persona frente a él y se lo pone en su propia cabeza. Los sombreros se mueven alrededor del círculo, de cabeza en cabeza, hasta que la música pare (o se dé la señal). El que quede sin sombrero sale del juego. Saque un sombrero y siga hasta que queden sólo dos jóvenes. Ellos se paran dándose la espalda, tomándose el sombrero del uno al otro y cuando la música se detiene, el que lleva el sombrero es el ganador.

PISTOLA DE AGUA MUSICAL

Este juego emocionante puede ser realizado con un grupo de seis a treinta personas, adentro o al aire libre. El grupo se sienta en un círculo en sillas o sobre el suelo. Se pasa una pistola cargada de agua alrededor del círculo hasta que la música pare o hasta que el líder diga: "Alto". La persona que tenga en su mano la pistola en ese momento, debe salir del juego. Pero antes de que salga, puede mojar a la persona a su izquierda dos veces o a su derecha dos veces o una a cada lado. Después de sacar su silla, el círculo se mueve más hacia adentro y el grupo continúa. La última persona que quede se declara la ganadora.

La pistola debe pasarse con las dos manos y recibirse con las dos manos (de otro modo frecuentemente se caería y se rompería). Es mejor tener una segunda pistola de agua a mano para sustituir a la vacía. Un asistente puede llenar la primera, mientras se usa la segunda. Asegúrese de enfatizar que sólo se permiten dos disparos de agua; si no, usted tendrá que rellenar continuamente las pistolas de agua.

PELLÍZCAME

Este es un juego loco (similar a CORRAL) que es fantástico para dividir a un grupo grande en varios grupos pequeños. Todos permanecen en silencio (sin hablar, pero se les permite reír, gritar, etc.). Cada persona recibe un pedazo de papel que debe guardar en secreto. Todos los papeles dicen algo como:

Pellízcame   Písame
Pégame   Frota mi estómago
Hazme cosquillas   Ráscame la espalda
Tírame la oreja

Cuando todos tengan su tarjeta, el líder grita: "Ya", y los jugadores deben encontrar a otros en su grupo. Por ejemplo, un "Pellízcame" debe ir pellizcando a todos hasta que halle a alguien más que sea "Pellízcame". Se juntan y siguen pellizcando a otros hasta encontrar el resto del equipo. Debe de haber un número igual en cada equipo. Después de cierto período de tiempo, el líder detiene el juego y el equipo que haya hecho el mejor trabajo de juntarse, gana.

QUITALO

Este juego es disparatado, fácil de desarrollar y muy divertido. Todos los varones se meten en un círculo dibujado en el piso y se amontonan en cualquier posición con sus brazos entrelazados. Las señoritas intentan atraer a los varones fuera del círculo de cualquier modo posible. Los varones tratan de permanecer dentro. El último joven que permanezca en el círculo es el ganador. Los chicos no pueden pelear con las señoritas, sólo se prenden de los otros y tratan de quedarse.

SACALO

Para este juego, todos están sentados en un círculo, en sillas o en el piso, excepto cinco chicas y cinco chicos quienes están en el medio (este número puede variar dependiendo del tamaño total de su grupo).

Cuando se inicia el juego, los diez jóvenes del medio corren hacia alguien del sexo opuesto quien está sentado en el círculo, toman su mano, sacan al jugador y ocupan su puesto en el círculo. La persona que es sacada no puede resistir sino que debe levantarse y correr directamente, pasando por el centro del círculo, hacia el otro lado y otra vez sacar a alguien del sexo opuesto y tomar su lugar en el círculo.

El juego sigue hasta que el líder toque el silbato, entonces todos los que están parados deben "inmovilizarse" al instante. El líder cuenta el número de chicos y chicas que están de pie. Si hay más mujeres que varones, éstos ganan un punto. En otras palabras, cada vez que suena el silbato, el equipo (varones o mujeres) con menos número de personas paradas gana puntos.

GRUPOS DE PIRAMIDES

Este juego es como MASAS (página 54) pero con un cambio añadido. Cuando el líder dice un número, los jugadores no sólo forman un grupo de ese tamaño, sino que también deben construir una pirámide con exactamente ese número. Después de un rato, cualquier pirámide que no tenga el número correcto o cuyos jugadores no estén en ella es eliminada. El juego continúa hasta que sólo queden unos pocos jugadores.

FUTBOL DE ARCO IRIS

Este es un juego activo que se realiza con dos equipos y sesenta globos (treinta de cada color). Los globos están mezclados y puestos en el centro del círculo de una cancha de baloncesto. Los dos equipos forman fila y se colocan uno en una línea que limita la cancha y el otro en la línea opuesta. Una persona de cada equipo es el arquero y se para en el extremo opuesto de su equipo, enfrente de un recipiente grande.

Al oír el silbato, cada equipo tratará de patear (usando los reglamentos de fútbol) sus globos a su arquero, quien los pondrá en el recipiente detrás de él. Al mismo tiempo, un equipo pisará y reventará tantos globos del otro equipo como sea posible. El juego sigue hasta que todos los globos estén en el recipiente o hayan sido reventados. El equipo con más goles gana.

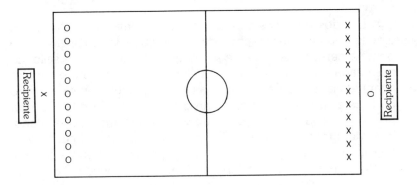

RODEO

Todos los jóvenes están divididos en dos equipos con el mismo número de mujeres y varones en cada equipo. Las chicas de cada equipo son los vaqueros; los varones son las vacas. Las "vacas" deben permanecer en posición de cuatro patas (manos y rodillas) en todo el juego. El objetivo del juego es que las chicas de cada equipo lleven a las "vacas" del equipo contrario a cierta área designada como corral. Las chicas pueden empujar, arrastrar, etc. a una "vaca" hasta el corral. Por supuesto, las "vacas" pueden resistir, pero deben quedarse en sus manos y rodillas. Después de cierto tiempo, el equipo con más "vacas" en su corral gana el juego.

CHOQUE

Este juego es bastante parecido a DOMINO (página 55). Dos equipos forman cada uno una fila y se toman de las manos. Debe haber exactamente el mismo número de jugadores en cada equipo. Al final de cada equipo hay una cuchara en el piso (o sobre una mesa) y en el otro extremo, hay una persona de cada equipo con una moneda.

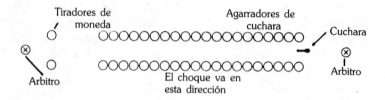

Las dos personas con las monedas comienzan a tirarlas al aire (como un lanzamiento de moneda) y las muestran a la primera persona de la fila de su equipo. Si la moneda es sello, no pasa nada. Si la moneda es cara, la primera persona rápidamente aprieta la mano de la segunda persona, quien aprieta la mano de la tercera persona y así avanza hacia el final de la fila. Tan pronto como la última persona en la fila sienta apretada su mano, trata de agarrar la cuchara. Después de tomarla, la cuchara es puesta nuevamente en su lugar y esa persona entonces corre al frente de la fila y se convierte en tirador de moneda. Todos los demás se mueven para ocupar el espacio vacío. El juego continúa hasta que cada jugador haya sido el tirador de moneda y agarrador de cuchara. El primer equipo que tenga su tirador de moneda original o su agarrador de cuchara en su posición original es el ganador.

Nadie puede apretar la mano de la siguiente persona hasta que su propia mano haya sido apretada primero. Esto es como un choque eléctrico que trabaja a lo largo de la fila. Se debe estacionar un árbitro en ambos extremos de las filas de los equipos para asegurar que todo sea hecho legalmente. Un apretón falso resulta en un nuevo tiro de moneda. Puede hacer un ensayo del apretón con todos antes de empezar, así saben cómo apretar bien y fuerte. De otro modo, alguno puede confundir un pequeño tirón por un apretón legal.

CLASIFICACION DE CANCION

Este juego es similar a CORRAL (página 47) y es una muy buena manera de dividir una multitud en equipos o grupos pequeños. Prepare con anticipación, en pequeños pedazos de papel, un número igual de cuatro (o tantos grupos como desea) títulos de canciones diferentes. Al entrar cada persona a la sala, recibirá (al azar) uno de esos títulos de canciones. En otras palabras, si tiene cien personas y desea cuatro equipos, debe haber 25 de cada una de las cuatro canciones. A la señal indicada, se apagan las luces (si lo hace en la noche) y cada persona empieza a cantar tan alto como pueda, sin hablar o gritar, sólo cantar. Cada persona trata de localizar a los demás que cantan la misma canción y el primer equipo que se forme será el ganador. Los títulos de las canciones deben ser bien conocidos.

CUENTA REGRESIVA DE LA BOLA ESPACIAL

He aquí un juego rápido, emocionante y rudo que requiere trabajo de equipo y a los jóvenes les encanta. Forme dos equipos iguales. Uno formará un rectángulo o círculo bien delineado y el otro equipo se ubicará dentro del círculo tan disperso como sea posible. Cuando suena el silbato, el equipo externo tratará de pegar con la pelota (dos pelotas grandes, pero no de fútbol) a cada miembro del interior tan pronto como pueda. Los golpes de cabeza y rebotes son ilegales.

Cuando todos hayan sido golpeados, se para el reloj; se apunta el tiempo y los equipos cambian de lugar. El equipo con el tiempo más breve en el círculo externo gana. Puede apuntar las mejores dos de cuatro vueltas o combine los tiempos totales. Esté seguro de que los jugadores se quiten sus lentes, apunten del hombro para abajo y no usen pelotas duras del tipo de las de fútbol.

DELETREADOR

Este es otro juego muy similar a MASAS (página 54). Entregue a todos una tarjeta grande con una letra del alfabeto. Si lo prefiere, marque la letra en la frente de la persona usando un marcador lavable. Evite el uso de letras no comunes como Q, X, Z, K y otras semejantes.

Los jugadores deben mezclarse y cuando suena el silbato el líder grita un número, como "tres". Los jugadores deben hallar a otros dos y formar una palabra usando sus letras. Cualquier jugador que no pueda formar parte de una palabra de tres letras dentro de una cantidad de tiempo razonable es eliminado del juego. Por razones obvias, se necesita anunciar números suficientemente bajos como para formar palabras.

AMONTONENSE

Todos se sientan en sillas en un círculo. Prepare una lista de características habilitantes como éstas:
1. Si usted se olvidó de usar desodorante hoy...
2. Si a usted le dieron una multa de tráfico en este año...
3. Si usted tiene un agujero en su calcetín...
4. Si usted tiene miedo de la oscuridad...

Entonces léalos uno por uno y añada "muévase tres sillas a la derecha", "muévase una silla a la izquierda", etc. En otras palabras, pueden decir: "Si usted se olvidó de usar desodorante hoy, muévase tres sillas a la derecha", y todos aquellos que se vean "afectados" se moverán como está instruido y se sentarán en esa silla, sin importar si está o no ocupada por una o más personas. Al avanzar el juego, la gente empieza a amontonarse en ciertas sillas.

PISOTEO EN TECNICOLOR

He aquí un buen juego de interior, el cual es realmente disparatado. Necesitará muchos globos de colores. Divida el grupo en equipos y asigne a cada equipo un color (rojo, azul, anaranjado, amarillo, etc.). Luego déle a cada equipo un número igual de globos de su color. Por ejemplo, al equipo rojo se le darán cierto número (como 20) de globos rojos. Ellos empiezan inflando todos los globos y anudándolos. Cuando el juego verdaderamente se inicia, los globos de todos los equipos se sueltan por el suelo. El objetivo es de pisotear y reventar todos los globos de los otros equipos, mientras se intenta proteger los globos de su propio equipo. Después del tiempo establecido para reventar los globos (dos o tres minutos) cada equipo reúne sus restantes. El equipo con más globos inflados es el ganador.

CARRERA DE ESTATURAS

Divida el grupo en equipos. A la señal indicada, cada equipo forma fila según la altura, con la persona más baja en una punta y la más alta en la otra. El último equipo que lo haga o cualquier equipo que esté fuera del orden correcto es el perdedor.

ESGRIMA DE PIES

Este es un juego loco y si se le agrega música, se parece a un nuevo tipo de baile. Todos los jugadores forman pareja, se toman de las manos y tratan de pisar los pies de su compañero. En otras palabras, un jugador trata de pisotear el pie del otro jugador mientras sus manos están entrelazadas. Por supuesto, ya que los jugadores también estarán tratando de evitar ser pisoteados, todos estarán saltando en el piso en un baile frenético.

Cuando un jugador haya sido pisado tres veces, queda fuera del juego y el compañero ganador desafía a otro ganador. El juego continúa hasta que quede sólo una persona (o hasta que se acabe la música).

5

JUEGOS
DE INTERIOR
PARA
GRUPOS PEQUEÑOS

Todos los juegos en este capítulo son fantásticos para desarrollarse puertas adentro con grupos de treinta o menos. No están limitados a treinta, pero es mejor si se juegan con números pequeños. Algunos requieren un espacio amplio en el interior, como un gimnasio o salón de sociales, mientras que los otros pueden ser jugados en un espacio más pequeño.

Tenga en mente que hay muchos otros juegos buenos y activos de interior para grupos pequeños en los capítulos 3 y 7. La mayoría de los juegos al aire libre pueden adaptarse fácilmente para su uso en el interior. Hay muchos juegos menos activos para grupos pequeños en el capítulo 8. Por supuesto, muchos otros juegos a lo largo de este libro, pueden ser adaptados fácilmente para su uso con grupos pequeños en un espacio interior.

ESPALDA CONTRA ESPALDA

Divida a su grupo en pares y hágalos sentarse en el piso, espalda con espalda y ligados por los brazos. Dígales que se pongan de pie. Con un poquito de tiempo y cooperación, no debe ser muy difícil. Entonces combine dos pares en un grupo de cuatro. Haga que el grupo de cuatro se siente sobre el piso espalda contra espalda con los brazos entrelazados. Dígales que se paren. Será más difícil con cuatro. Continúe añadiendo más gente al grupo hasta que el montón enorme no pueda pararse nunca.

ALFABETO-PONG

Para este juego, el grupo se acomoda en un círculo. Cada persona sostiene un libro con ambas manos. Un jugador toma una pelota de Ping-Pong, la golpea con el libro a través del círculo y dice "A". La persona al otro lado la devuelve a alguien y dice "B" y sigue así. El círculo trabaja en conjunto para ver hasta qué parte del alfabeto pueden llegar sin fallar. No hay un orden particular para pegarle a la pelota. Cualquiera puede golpearla cuando le llega, pero nadie puede pegar a la pelota dos veces consecutivas. Si juegan equipos, haga que juegue el primer equipo y luego el otro para ver cuál puede avanzar más en el alfabeto sin que la pelota toque el piso. ¡Es un verdadero desafío!

BALONCESTO DE SOPLAR GLOBOS

Para este juego, necesitará una cancha de baloncesto, varias pelotas de baloncesto y varios globos grandes. Haga alinear un equipo detrás de la línea de tiro libre en un extremo de la cancha de baloncesto y el otro equipo en el otro extremo. Cada equipo designa a alguien para que sea el que sople los globos. A la señal, la primera persona en la línea tira la pelota de baloncesto desde la línea de tiro libre o la hace rebotar mientras se acerca al aro y tira. La segunda persona en la línea debe permanecer detrás de la línea de tiro libre hasta recibir la pelota de quien acaba de tirar. Después de tirar, los jugadores regresan al final de la fila. Cada vez que alguien hace un tanto en el cesto, el soplador de globos da un soplo inmenso al globo. El equipo que revienta su globo primero, gana. Si quiere prolongar el juego, puede darle a cada equipo dos o tres globos.

REVENTON DE GLOBOS

Divida el grupo en dos equipos y escoja un capitán para cada uno. Siéntense como está diagramado a continuación. Envíe un globo al medio de las filas y cada equipo tratará de pegarle en dirección a su capitán quien reventará el globo con un alfiler. Se anota un punto por cada globo reventado. Los jugadores deben permanecer sentados y usar sólo una mano.

BALONCESTO AGACHADO

Divida su grupo en equipos de aproximadamente seis a diez personas por equipo. Los equipos escogen a su propio capitán y forman una fila recta con la cara hacia los capitanes (aproximadamente de dos a cuatro metros de distancia de los capitanes). El capitán tira la pelota a la primera persona en la fila quien devuelve el tiro y se agacha. El capitán luego tira la pelota a la segunda persona quien hace lo mismo y así hasta la última persona al final de la fila. El capitán entonces tira la pelota una segunda vez a la última persona quien la devuelve y se vuelve a parar. El juego continúa hasta que todos hayan recibido otro pase hasta llegar a la primera persona en la fila. En cualquier momento en que se caiga la pelota, el equipo debe empezar de nuevo. El primer equipo que logre que todos se paren otra vez es el ganador.

APAGON

He aquí un nuevo cambio para las "sillas musicales" que produce un verdadero tumulto. Primero arregle las sillas en un círculo mirando hacia afuera. Los jugadores forman un círculo alrededor del exterior de las sillas. Explique que los jugadores deben mantener sus manos detrás de sus espaldas. Los varones deben caminar alrededor de las sillas hacia la derecha mientras las mujeres se mueven hacia la izquierda cuando empieza la música o suena el silbato. Cuando se para la música, los participantes deben sentarse en la silla vacía más cercana. Hay una trampa: el juego se realiza en la oscuridad. Cuando empieza la música, apague la luz; cuando la música para, préndala. Esté listo para mucho movimiento y corrida a las sillas. La persona que se queda parada sale del juego. Asegúrese de sacar una silla después de cada vuelta y acerque más las sillas restantes al reducirse el grupo. Los jóvenes se divierten bastante al jugar esto y normalmente las chicas son más agresivas que los varones.

VOLEIBOL CIEGO

Divida a los jóvenes en dos equipos iguales. Los dos se van uno a cada lado de la cancha de voleibol y se sientan, ya sea en sillas o en el suelo arreglados como en un partido de voleibol normal. La red debe ser una división sólida que obstruya la vista del otro equipo, como cobijas colgadas sobre una red de voleibol o una soga. La división debe estar también lo suficientemente baja para que los jugadores no puedan ver debajo de ella. Después juegan voleibol. Use una pelota grande y liviana de plástico en vez de una de voleibol. Se aplican los reglamentos y los límites del voleibol normal. El jugador no se puede parar para pegarle a la pelota. La dimensión añadida de la red sólida agrega un elemento real de sorpresa al juego cuando la pelota llega volando sobre la red.

ATAQUE DE FRIJOL

Esta es una buena manera para que los jóvenes se relacionen unos con otros en el comienzo de una reunión o evento social. Se entrega a cada joven un sobre conteniendo veinte frijoles. Los jóvenes vagan alrededor del cuarto teniendo en sus manos cerradas unos pocos frijoles del sobre. Se acercan a otros jóvenes, uno a la vez y le preguntan: "¿Pares o Nones?" refiriéndose a los frijoles en su mano. Si la persona a quien le pregunta adivina correctamente, se lleva los frijoles. Si se equivoca, debe darle el mismo número de frijoles. (Se requiere que sólo adivine si el número es par o impar, no el número real de los frijoles.) Se establece un límite de tiempo y quien tenga más frijoles al final, gana un premio. El que haya perdido todos sus frijoles queda fuera del juego.

BALON-BOTELLA

Este juego puede hacerse afuera o adentro. El número ideal para este juego es cinco para cada lado, pero puede adaptarse para más jugadores, dependiendo del tamaño de su grupo. Delimite fronteras distinguibles de aproximadamente 18 × 9 metros. Los tres jugadores del extremo deben proteger dos botellas cada uno. (Las botellas ideales son las plásticas de refresco). Estas botellas deben ponerse a 36 cms. de distancia. Los tiradores tratan de disparar una pelota mediana de esponja (u otro tipo de pelota suave) atravesando el lado contrario y sus oponentes bloquean la pelota lo mejor que puedan. Los jugadores cometen una falta en contra cuando pisan más allá de la línea del medio.

La cuenta va así: cinco puntos por cada botella derrotada; diez puntos por cada tiro que va entre las botellas; un punto por cada tiro rodando sobre la línea limítrofe de atrás. Divida al grupo en cuatro, seis y ocho diferentes equipos y tenga una competencia.

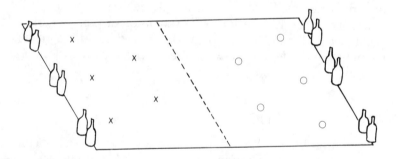

BALON-SILLA

Este juego es una versión emocionante de baloncesto que puede ser jugado en cualquier campo abierto o en una sala grande. En vez de usar una pelota normal de baloncesto, use una que sea un poco más liviana como una plástica o de esponja. Puede tener cualquier número de personas en los dos equipos. En cada extremo del área de juego, tenga a alguien parado sobre una silla sosteniendo un cesto de basura o un recipiente similar. Un rebote de pelota empieza el juego, así como en el baloncesto normal.

Los jugadores entonces tratan de mover la pelota por la cancha para tirarla al cesto. La persona sobre la silla, quien sostiene el cesto, puede tratar de ayudar moviendo el cesto, si es necesario, para recibir la pelota cuando hay un tiro. Todos los tiros deben ser hechos desde detrás de una línea de tiro a unos tres metros. La pelota sólo puede moverse rebotándola en el piso, tirándola a otro compañero del equipo o pateándola. No se puede correr o caminar con la pelota. Puede encestar como en el baloncesto normal o con cualquier otro sistema de puntaje que prefiera.

PING-PONG CHINO

Esta es una buena manera de añadir cierta emoción a un juego ordinario de Ping-Pong. El grupo entero se para (hasta una docena o algo así de jóvenes) alrededor de una mesa de Ping-Pong normal. Un jugador debe estar en cada extremo de la mesa; los demás están en los lados. La primera persona sirve la pelota, como en el Ping-Pong normal, pero después de servir, deja la paleta en la mesa (con el mango fuera de la orilla) y se pone en fila a la izquierda. La siguiente persona en la fila (a la derecha del servidor) recoge la paleta y espera que regrese la pelota. La línea sigue rotando hacia la derecha alrededor de la mesa, con cada persona pegándole a la pelota una vez desde el extremo de la mesa donde se encuentre. Si la paleta se le cae, pierde la pelota o le pega fuera de la mesa, es eliminado del juego. Cuando se reduce a dos personas, deben pegarle a la pelota, dejar la paleta, girar por completo, recoger la paleta y pegarle a la pelota. El jugador que no cometa error es el ganador.

CENICIENTA

Arregle las sillas en un círculo. Todas las Cenicientas (mujeres) en el grupo seleccionan una silla y se sientan. Los Príncipes Azules (varones) escogen cada uno a una Cenicienta y se arrodillan frente a ella. El saca los zapatos de ella y los sostiene en la mano. El líder pide los zapatos y los tira al medio del círculo. Entonces las Cenicientas vendan los ojos de los Príncipes Azules. Después de que cada príncipe es vendado, el líder mezcla y revuelve los zapatos en el medio.

A la señal, todos los Príncipes Azules gatean al centro e intentan encontrar los zapatos de su Cenicienta. Las Cenicientas sólo pueden ayudar verbalmente, dándoles instrucciones a sus príncipes. Después de hallar los zapatos, los príncipes regresan gateando hacia sus chicas (otra vez guiados por instrucciones verbales). Ellos ponen los zapatos (el correcto en el pie correspondiente, etc.) a las chicas y luego se quitan las vendas. El juego continúa hasta que el último participante triunfe.

DESAFIO DE BROCHES (PINZAS) DE ROPA

Este es un juego sencillo para equipos de dos. Están sentados en sillas uno frente a otro tocándose las rodillas. Se le muestra a cada uno un montón grande de broches de ropa a la derecha de su silla. Se vendan los ojos de los jugadores y se les dan dos minutos para prender tantos broches como sea posible en las piernas del pantalón de su compañero.

COMPETENCIA DE VIENTOS

Dibuje un cuadrado grande en el suelo, similar al siguiente diagrama. El cuadrado es dividido en cuatro partes iguales, designadas como norte, este, sur y oeste. Divida el grupo en cuatro equipos con los mismos nombres. Distribuya uniformemente hojas secas o bolitas de algodón en cada cuarto del cuadrado. A la señal indicada, los vientos empiezan a "soplar" y cada equipo trata de soplar (no se permiten las manos) las hojas fuera de su cuadrado hacia otro. Establezca un límite de tiempo y el equipo con menos hojas en su cuadrado gana.

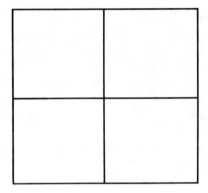

PATITO FEO

Todos se sientan en un círculo con una persona parada en el medio. La persona en el medio tiene los ojos vendados y un periódico enrollado en la mano. Se le hace girar varias veces mientras los demás cambian de sillas. (Todos necesitan estar en silencio.) La persona vendada encuentra la falda de una persona por medio del periódico, lo desenrolla lo pone sobre la falda, se sienta sobre el periódico y dice: "Patito feo". En una voz disfrazada, la persona en la cual se sentó responde: "Quak quak". Esto puede repetirse dos veces más. Después de cada "Quak-quak" la persona que tiene los ojos vendados debe adivinar la identidad de la voz. Si es correcta, la voz obtiene la venda; si es incorrecta, el vendado debe buscar otra falda y tratar de nuevo.

MURALLA ELECTRICA

Para este juego, necesita dos postes y un pedazo de soga o piola. La soga está amarrada entre los dos postes, a cerca de medio metro del piso para empezar.

Divídanse en equipos. El objetivo del juego es que el equipo entero pase por encima de la muralla eléctrica (la soga) sin ser electrocutado (tocándola). Cada equipo se turna con sus respectivos miembros yendo uno a la vez.

Después de cada intento triunfal, se eleva la soga un poquito más alto, como en una competencia de "salto alto". Finalmente, los equipos se eliminarán al encontrar la soga muy alta para pasarla.

Lo que hace interesante el juego es que aunque los jugadores pasan la soga de a uno por vez, los demás miembros del equipo pueden ayudarle de cualquier modo que deseen. Una vez que una persona haya pasado la muralla, debe quedarse allí y no puede regresar para ayudar a otro. Así la última persona del equipo debe pasar la muralla de alguna manera, sin ayuda de los demás. Este juego requiere mucho trabajo y cooperación del equipo.

Asegúrese de que sus equipos estén divididos en forma pareja según la altura, edad y sexo.

NARIZESQUI

Los equipos forman filas de hombre-mujer-hombre-mujer. La última persona de cada fila recibe una "embarrada" de lápiz labial en la punta de su nariz. La idea es ver hasta dónde en la fila se puede pasar el "embarrado" del lápiz labial rozándose las narices. El equipo que logre más o el que logre avanzar más en el tiempo establecido (30 segundos, por ejemplo) es el ganador. Un buen premio puede ser un pastel blanco o un helado.

BALON-PIE

Este es un juego de interior, el cual es muy activo y requiere trabajo de equipo. Divida el grupo en equipos y siéntelos en dos hileras de sillas cara a cara. El objetivo es que los equipos muevan una pelota de voleibol o una similar hacia su meta (al final de la fila) usando sólo los pies. Los jugadores deben mantener sus brazos detrás de las sillas para evitar que toquen la pelota, lo cual es un penal. Pera empezar el juego, arroje la pelota entre los dos equipos, en el medio. El juego puede durar cuanto desee. Para evitar heridas en los pies, se pueden sacar los zapatos. También asegúrese de que los equipos estén lo suficientemente distantes para que sus pies apenas se rocen cuando extiendan las piernas en ambos lados.

CANASTA DE FRUTAS

Este juego puede desarrollarse con cualquier cantidad de gente, por lo general en el interior. El grupo entero se sienta en un círculo con una silla menos que el número de personas. La persona extra se para en el medio. Se asigna a cada uno el nombre de una fruta. La persona en el medio empieza a nombrar frutas. Después de nombrar varias, grita: "Ya", y esas personas de las frutas mencionadas deben cambiar de silla. Al mismo tiempo, la persona en el medio también trata de conseguir una de las sillas vacantes. La persona que falla en conseguir una silla, entonces va al medio. Como una opción, la persona en el medio puede llamar "Canasta de frutas". Entonces todos deben cambiarse de sillas. Asegúrese de usar sillas fuertes porque por lo general la gente se cae sobre las piernas de otros.

GOLF TONTO

Establezca un campo de golf en miniatura en toda el área de juego. Si usa un edificio de la iglesia, haga el recorrido por los pasillos, las entradas y salidas de las aulas, bajando las escaleras y otros lugares variados. Como pelotas de golf, use las reales, o las de plástico o de Ping-Pong. Para palos, use los de golf, palos de escoba, periódicos enrollados, etc.

Cada hoyo debe ser marcado con una bandera, como en el golf normal y también se deben asignar los puntos de partida. Establezca un "par" para cada hueco, imprima ciertas tarjetas de anotación y tenga campeonato de Golf Tonto.

PISTOLA-HOMBRE-GORILA

Este juego es bastante parecido al juego de piedra-papel-tijera que hacen los jovencitos. Cada uno tiene su pareja y se paran en dos hileras con cada compañero enfrentándose espalda contra espalda.

El líder, quien dirige la acción, grita "¡Uno, dos, tres!" En "tres" todos giran y al instante asumen una de estas tres posiciones:

1. GORILA - manos arriba en el aire, los dientes gruñendo y grita "Grrroowwlllll".
2. HOMBRE - manos en las caderas, dice: "¡Hola, querido!"
3. PISTOLA - ambas manos sacan pistolas imaginarias desde las caderas, dispara y grita: "¡Bang!"

Cuando el líder dice "tres", cada persona se da vuelta y toma una de las posiciones anteriores mientras gira para dar la cara a su compañero. Nadie puede vacilar. Luego cada pareja decide cual de ellos ganó, determinándose de la siguiente forma:

a. Si una persona es HOMBRE y la otra PISTOLA, el HOMBRE gana porque un hombre tiene poder sobre la pistola.
b. Si una persona es PISTOLA y la otra GORILA, la pistola gana porque el gorila puede ser muerto por la pistola.
c. Si una persona es GORILA y la otra es HOMBRE, el gorila gana, porque el gorila es más fuerte que el hombre.
d. Si ambas personas son lo mismo, lo intentan de nuevo (ambos ganan). Si empatan una segunda vez, ambos pierden.

Después del primer intento, todos los perdedores quedan fuera. Todos los ganadores se emparejan de nuevo y el juego continúa hasta que la última pareja juega y se determina el ganador. Es mejor demostrar este juego varias veces al grupo antes de jugar.

JA-JA-JA

Este es un juego loco que es bueno por sus muchas risas (literalmente). Una persona se acuesta sobre el piso (boca arriba), la siguiente persona se acuesta con la cabeza sobre el estómago de la primera, la siguiente persona se acuesta con la cabeza sobre el estómago de la segunda y así sucesivamente.

Después de que todos estén acostados sobre el piso, la primera persona dice: "Ja", la segunda dice "Ja, ja" y la tercera dice "Ja, ja, ja" y así va adelante. Debe jugarse seriamente y si alguien se equivoca y se ríe, el grupo debe empezar de nuevo. Es cómico.

MANO SOBRE MANO

Divida su grupo en dos o más equipos de cinco o más participantes. Cada equipo forma un círculo y todos extienden su mano derecha hacia el centro del círculo. Hágales amontonar sus manos al estilo de baloncesto (mano sobre mano). Luego pongan sus manos izquierdas en el círculo de la misma manera, así quedarán amontonadas las manos izquierdas sobre las derechas. A la señal, la persona cuya mano está por debajo de todas debe sacarla y ponerla encima del montón. La segunda persona debe de hacer lo mismo y así hasta que la persona que inició el proceso quede de nuevo debajo. El primer equipo que complete este proceso es ganador de la etapa #1. Para la siguiente etapa, traten de hacer tres vueltas y luego cinco. Después de que todos se hayan acostumbrado, intenten hacerlo al revés.

TOALLA CALIENTE

Todos se sientan en un círculo y la "clave" es una persona en el centro. La "clave" tira una toalla a alguien sentado en el círculo y éste tira la toalla a otro del círculo en cualquier dirección. El objetivo del juego es que la "clave" atrape a quienquiera que tenga la toalla. Para esto, podrá moverse dentro del círculo pero sin salir del mismo. Cuando atrapa a alguien con la toalla, entonces se intercambian de posición. La toalla se mantiene en movimiento, lo cual hace el juego más difícil, a menos de que alguien tenga dificultad de deshacerse de ella. Si se la pasan a usted, debe tomarla. Parte de lo gracioso es cuando alguien tira la toalla y ésta se envuelve en el cuello o brazo de la siguiente persona, lo cual hace difícil desenrollarla en un apuro. Si la toalla es capturada por la "clave" en el aire (mientras ha sido tirada a alguien), el jugador quien la tiró se convierte en la "clave".

TA-TE-TI HUMANO

Como sugiere el título, este juego se realiza así como en el papel, excepto que se usa gente. Es muy activo y fantástico para grupos pequeños. Para jugar, arregle nueve sillas en tres hileras de tres. El equipo Uno se para a un lado de las sillas y el equipo Dos en el otro. Los jugadores de cada equipo se enumeran.

```
              1 ○  |                    ○ 1
              2 ○  |   □ □ □            ○ 2
 Equipo Uno   3 ○  |                    ○ 3
              4 ○  |   □ □ □            ○ 4   Equipo Dos
              5 ○  |                    ○ 5
              6 ○  |   □ □ □            ○ 6
```

El líder llama un número, como "cuatro". Entonces, los dos "cuatro" de cada equipo se sientan en dos sillas cualquiera lo más rápido posible. Cuando están sentados, se llama otro número y el juego sigue hasta que tres compañeros de cualquiera de los equipos formen un TA-TE-TI sentándose en una hilera vertical, horizontal o diagonal. Si no se hace TA-TE-TI, entonces los jugadores regresan a sus equipos y se juega otra vez.

Una variación de esto puede ser de jugar con diez personas por partida (cinco en cada equipo). Todos se sientan en una de las nueve sillas dejando a una persona sin silla. Cuando suena el silbato, todos deben levantarse y cambiarse a una silla diferente, mientras que la persona sobrante trata de sentarse en alguna. Después del revuelto de asientos, se anotan los que forman TA-TE-TI. Cualquier hilera de tres personas del mismo equipo gana puntos. En cada vuelta, siempre queda una persona fuera sin silla.

FUTBOL DE INTERIOR

Deje libre un espacio amplio del piso y haga ponerse a todos en posición de "cuatro patas" (rodillas y manos). Se necesitan dos equipos. Deben marcarse los arcos en ambos extremos del salón. Una pluma o una pelota de Ping-Pong se pone entre los dos equipos y los jugadores tratan de soplar la pluma o la pelota de Ping-Pong hasta atravesar la línea de gol del otro equipo. No se permiten las manos. Limite este juego a cinco o seis por equipo.

VOLEIBOL DE INTERIOR

Pueden jugar un partido emocionante de voleibol adentro, aun con un techo bajo, usando una pelota grande de esponja (de aproximadamente 16 cms. de diámetro). Cuelgue una red normal, unas sábanas o cortinas viejas o coloque una mesa entre los dos equipos. Para techos bajos, mantenga la "red" baja y hágalos jugar sentados en el piso o sobre sus rodillas. Los demás reglamentos de voleibol son aplicables.

INVERSION

Este juego requiere mucho trabajo de equipo. Puede realizarse como un juego competitivo (los equipos compiten unos contra otros) o como un juego cooperativo (todos en el mismo equipo).

Dibuje dos líneas paralelas en el piso, a cerca de 36 cms. de distancia. Los equipos forman una fila dentro de las dos líneas y se enumeran. A la señal, deben invertir su orden numérico sin salirse de esas dos líneas paralelas. Por ejemplo, si hay veinte personas en el equipo, el jugador número 1 debe cambiar de lugar con el número 20 y así sucesivamente. Sólo la persona en la mitad se queda en el mismo lugar.

Deje practicar esto a los equipos una vez y llegar a una estrategia para hacerlo más rápido y adecuadamente. Entonces compitan contra reloj para establecer un "Record Mundial" para un grupo juvenil o ver cuál equipo puede hacerlo en el tiempo más breve. Es muy divertido mirar. Los árbitros pueden cobrar una falta a cada equipo restándole segundos cuando una persona pisa fuera de una de las dos líneas.

36 cms ① ② ③ ④ ⑤ ⑥ ⑦ ⑧ ⑨ ⑩ ⑪ ⑫ ⑬ ⑭

DEJELO SOPLAR

Divida su grupo en equipos y dé a cada persona un globo desinflado. A la señal, la primera persona de cada equipo infla su globo y lo deja ir. El globo volará por el aire.

Esa persona debe ir hasta donde aterrizó el globo, pararse, inflarlo de nuevo y dejarlo ir. El objetivo es hacer que el globo pase una línea de gol a cierta distancia. Cuando lo hace, el jugador regresa corriendo y toca al próximo jugador del equipo, entonces esa persona debe hacer lo mismo. Este juego es realmente loco ya que es difícil predecir dónde va a aterrizar el globo cada vez. Especialmente es divertido e interesante cuando se juega al aire libre, porque la más ligera brisa empuja al globo en una dirección diferente. La línea de gol debe estar a cuatro metros de distancia.

PIJAMAS RELLENOS

Este juego es para morirse de la risa y para divertirse con cualquier grupo. Necesita conseguir dos pares de pijamas largos de una sola pieza y cerca de cien globos pequeños (de 12 cms. de diámetro). También necesitará un alfiler. Divida el grupo en dos equipos y cada uno seleccionará una persona entre ellos para ponerse los pijamas largos. Es mejor escoger a alguien que no sea muy gordo. Los pijamas largos deben ir encima de la ropa normal del joven. Cada equipo también debe seleccionar dos o tres "rellenadores de globos."

Cuando los jóvenes estén listos, entregue un número igual de globos a cada equipo. Los miembros de los equipos deben inflarlos (al máximo), anudarlos y pasarlos a los "rellenadores" quienes tratarán de ponerlos dentro de los pijamas largos. El objetivo es ver cuál equipo puede llenar el pijama de su representante con más globos dentro del tiempo dado. Por lo general, dos minutos son suficientes. Después de que ambos concursantes hayan sido lo suficientemente rellenados, detenga a los dos equipos y pídales a las dos personas con los pijamas que se queden quietas. (Esta es una buena oportunidad para tomar fotos.)

Para contar los globos, empiece con quien parece tener menos globos y reviéntelos con un alfiler (a través del pijama) mientras el equipo cuenta. (Tenga cuidado de no pinchar al concursante con el alfiler.)

AVISOS LOCOS

Este juego es similar a CACERIA PARA INTERIOR (página 58). Divida el grupo en equipos y dé a cada equipo una revista (el mismo ejemplar de la misma revista para todos los equipos). Con anticipación, el líder debe hacer una lista de cerca de 30 a 40 anuncios incluidos en toda la revista (grandes y pequeños).

Se instruye a los equipos para que arranquen las páginas de la revista y las repartan entre los miembros del equipo. Pueden esparcirlas sobre el suelo si lo desean. El líder se para a una distancia igual de todos los equipos y menciona el nombre de un anuncio. El primer equipo que localice el aviso, lo entregue a su corredor y lo haga llegar al líder, gana un número designado de puntos. El equipo que anote la mayor cantidad de puntos, gana.

Un par de ayudas: si un equipo está muy adelantado de los otros, aumente el valor de los puntos de los avisos durante el juego, así los otros equipos pueden tener una oportunidad de alcanzarlo. Las revistas de mujeres son las mejores para este juego porque aparentemente llevan más anuncios que la mayoría de las otras revistas.

CACERIA DE REVISTAS

Divida su grupo en equipos de dos o tres personas cada uno y dé a cada grupo una combinación de revistas viejas. Entonces entrégueles una lista de varias cosas como fotos, nombres, productos, etc., que puedan ser hallados en las revistas. Tan pronto como un grupo encuentre una de las cosas, la cortan y continúan buscando tantas cosas como puedan en el tiempo establecido. Esta lista puede ser larga o corta dependiendo del tiempo. Algunas de las cosas pueden encontrarse en varias revistas, mientras otras en una sola. Usted puede hacer la lista tan difícil como quiera. El ganador, por supuesto, es el equipo que haya encontrado más cosas.

TIRO DE CARAMELOS BLANDOS

Para este juego, haga formar a los jóvenes en parejas y entregue a cada pareja una bolsa con caramelos blandos y pequeños. Cada pareja debe tener también un juez neutral para que cuente. Una persona es el lanzador, la otra el receptor. A la señal el lanzador tira un caramelo blando a la boca del receptor y éste debe comérselo. El lanzador y el receptor deben estar a unos tres metros de distancia. El juez cuenta los tiros exitosos, y la pareja con más puntos al final del tiempo establecido, o la primera en lograr veinte tiros exitosos, es la ganadora.

DISFRACES MUSICALES

He aquí un juego divertido en el que todos se ven bastante ridículos. Antes de empezar, tenga una bolsa de lavandería o una funda de almohada llena con varios artículos de ropa: sombreros graciosos, pantalones bolsudos, guantes, cinturones o cualquier cosa con que se pueda vestir. (El líder puede usar su propio juicio para que las cosas no sean demasiado vergonzosas.) Mantenga la bolsa cerrada para que la ropa no se caiga.

El grupo forma un círculo y empieza a pasarse la bolsa mientras suena la música. (Si no tiene música, use otra señal cronometrada como un reloj con alarma o una tostadora automática para detener la acción.) Cuando la música para, la persona que tiene la bolsa debe meter la mano y sacar un artículo sin mirar. Entonces debe ponérselo para usarlo el resto del juego. Trate de tener ropa suficiente para que cada persona tenga tres o cuatro artículos para ponerse. Se puede usar ropa de temporada, como el traje de Santa Claus, disfraces de animales o carnaval, etc. Después del juego, pueden hacer un desfile de modas o tomar fotos para colgarlas en el tablero de anuncios del grupo.

TIRO DE PAPEL

Divida el grupo en equipos de cuatro a ocho jóvenes cada uno. Ponga un cubo de basura en el medio del salón (de alrededor de un metro de alto) y prepare por adelantado varios bastones de papel enrollado y muchas pelotas de papel mojado. Un equipo se acuesta boca arriba alrededor del tarro de basura con sus cabezas hacia el tarro. Cada uno de estos jugadores tiene un bastón de papel enrollado. El equipo contrario se para alrededor del tarro de basura detrás de una línea que se encuentra aproximadamente a tres metros de distancia del tarro. Esta línea puede ser un círculo grande dibujado alrededor del tarro. El equipo contrario trata de tirar las pelotas de papel mojado al tarro y el equipo defensor trata de desviarlas con sus bastones mientras están acostados boca arriba. El equipo contrario tiene dos minutos para apuntar y embocar tantas pelotas como pueda en el tarro. Después de que cada equipo haya tenido su oportunidad de estar en ambas posiciones, el equipo que haya logrado meter más pelotas de papel en el tarro es declarado el ganador. Para hacer el juego un poco más difícil para los tiradores, hágalos sentarse en sillas mientras tiran las pelotas.

FUTBOL DE BILLAR

He aquí un nuevo modo de jugar al fútbol, el cual se desarrolla mejor en el interior. Es parecido al fútbol normal, excepto que se le da a cada persona incluyendo al arquero, un pedazo de papel sobre el cual pararse y un lugar particular para poner el papel. Ellos deben mantener un pie en el papel durante todo el tiempo. No se permite hacer patinar el papel. Asegúrese de esparcir los jugadores de ambos equipos en forma pareja por toda el área de juego. Tire al aire una pelota de fútbol y observe la diversión. El efecto es como el de una máquina gigante de billar romano.

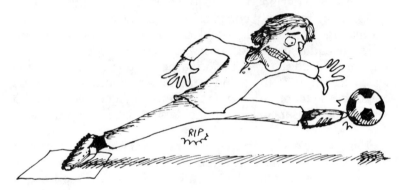

PASELO

El grupo entero forma un círculo. Todos reciben un objeto que puede ser grande, pequeño o de cualquier forma (una pelota de billar, un cubo de basura, un zapato, etc.) A la señal, todos pasan su objeto a la persona de su derecha, manteniendo los objetos en movimiento todo el tiempo. Cuando una persona deja caer un objeto, queda fuera, pero el objeto permanece en el juego. A medida que avanza el juego, sale más gente y se hace cada vez más difícil evitar que se caiga un objeto porque habrá más objetos que personas. El ganador es la última persona que quede.

BALONCESTO PING-PONG

Los participantes embocarán, por lo menos una vez (no hay realmente un límite), pelotas de Ping-Pong en recipientes de diferentes tamaños. Varíe el número de puntos dados; por ejemplo, mientras más pequeño sea el recipiente, mayor cantidad de puntos se le otorga.

POLO PING-PONG

Para este juego emocionante de interior, los miembros del equipo hacen sus propios palos de polo con periódicos enrollados y cinta adhesiva. (Enrolle varias hojas de papel a lo largo y entonces péguelas por el filo.)

El objetivo del juego es que los miembros del equipo envíen la pelota (de Ping-Pong) con el palo de polo al arco de su equipo. Una manera excelente de establecer los arcos es poniendo dos mesas volteadas (una mesa por arco) con el tope de la mesa frente al área de juego. Cuando la pelota golpee la cara de la mesa, hará un ruido fuerte indicando que se anotó un gol. Cada equipo debe tener un arquero quien protegerá la mesa. El arquero puede usar cualquier parte de su cuerpo para proteger la mesa.

Para hacer el juego aún más parecido al polo real, haga que los jóvenes anden en caballos (palos de escoba) mientras juegan. Siempre es aconsejable tener varias pelotas de Ping-Pong a mano.

BEISBOL DE MESA

Este es un buen juego de interior para grupos pequeños. Para desarrollarlo necesitará una mesa (cuadrada o de ping-pong), una pelota de ping-pong y cinta adhesiva (o tiza) para marcar las líneas.

Marque las líneas en la mesa, según el diagrama que aparece a continuación. Necesitará líneas de "foul" y líneas que indiquen las bases (primera, segunda y tercera). Un equipo forma fila detrás del punto de partida. El otro coloca tres jugadores arrodillados en el lado opuesto de la mesa, mirando hacia la misma.

Para jugar, coloque la pelota en el punto de partida. El primer jugador de la fila soplará la pelotita tratando de que atraviese las bases. Los tres jugadores del equipo contrario, soplarán en sentido inverso para impedirlo, enviando la pelotita fuera de la mesa.

He aquí algunos reglamentos adicionales:

1. Cada persona de la fila puede soplar un solo turno. Cuando la pelota cae de la mesa, se anota si hizo algún tanto y el jugador deja su lugar al siguiente.

2. Los "sopladores" del equipo contrario no pueden tocar la mesa para nada.

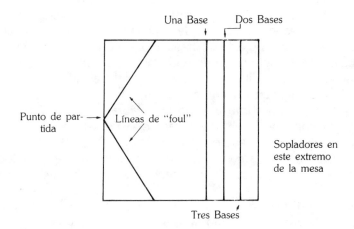

He aquí algunos reglamentos adicionales:

3. Si la pelota cruza las líneas de "foul", el jugador de turno puede soplar otra vez, aun cuando hayan sido los del equipo contrario quienes enviaron la pelota hasta ese sector.

4. El puntaje se calcula de acuerdo con el punto más lejano alcanzado por la pelota antes de que la soplen hacia afuera o hacia las líneas de "foul". Por ejemplo, si el jugador de turno hace que la pelota cruce la tercera base antes de que los "sopladores" la envíen afuera, se le acredita un "triple" (tres puntos). Cuando todos los jugadores de la fila hayan soplado una vez la pelota, se termina esa vuelta y se cuentan los puntos. En la próxima vuelta, los equipos invierten sus lugares.

5. Si el jugador de turno logra que la pelota cruce toda la mesa y caiga fuera por el extremo opuesto, se le acreditan cinco puntos. Los "sopladores" deben cuidar hacia dónde soplan la pelota para no anotar puntos para el equipo contrario.

DIBUJO VELOZ

Este juego es una manera graciosa de jugar a las charadas. Divida el grupo en equipos y haga que cada equipo se aleje lo más posible (en las cuatro esquinas del salón). El líder se coloca en el centro de la sala sosteniendo dos cajas (una para cada equipo) que contienen alrededor de veinte palabras o frases escritas en pequeñas tiras de papel.

Cuando el juego empieza, un miembro de cada equipo corre al centro, saca una tira de papel de la caja del equipo, lo lee y se lo da al líder quien lo descarta. Entonces el jugador regresa a su equipo, recoge una libreta de papel de dibujo y un marcador y trata de dibujar la palabra o frase. No se permite dibujar letras o palabras, sólo figuras. El equipo trata de adivinar la palabra o frase mirando el dibujo. El artista no puede hablar hasta que finalmente alguien adivine correctamente.

Tan pronto como adivine la palabra o frase, el siguiente jugador corre hacia el líder y saca otra tira de papel. El juego sigue hasta que un equipo termine las veinte palabras o frases.

Las veinte palabras y frases deben ser las mismas para todos los equipos. También, es sabio tener un árbitro adulto con cada equipo. En ese caso, cada participante debe traer la tira de papel a su árbitro, para que él sepa de qué frase o palabra se trata y pueda determinar cuándo se adivina correctamente.

SERPIENTE DE CASCABEL

Para este juego de cautela y talento, se necesitarán dos vendas, un frasco de plástico pequeño (uno de remedio está bien) con una piedra dentro de él, y un espacio definido para jugar. Se puede jugar sobre colchonetas grandes (como las de lucha libre) o en un piso alfombrado. El árbitro venda a dos jugadores. Uno de ellos es designado la serpiente de cascabel, el otro el cazador. La serpiente de cascabel recibe el frasco de plástico con la piedra. Al sacudirlo sonará como un cascabel. Se hace girar varias veces al cazador. Es esencial que todos permanezcan absolutamente callados (todos los que no juegan están sentados alrededor de las orillas del área de juego). El árbitro dice: "Cascabel". La serpiente de cascabel debe sacudir su cascabel y tratar de escapar de la captura del cazador. El juego continúa con el árbitro diciendo periódicamente: "Cascabel" hasta que el cazador atrape a la serpiente de cascabel.

FUTBOL DE SALON

Esta versión de fútbol les permite jugar puertas adentro y tiene un controlador incluido para evitar que un equipo domine el juego.

Jueguen en un salón grande donde se han quitado todas las sillas. Necesitará una pelota de esponja (o cualquier pelota suave) y ocho sillas plegables. Alinee cuatro sillas en cada extremo del área de recreación para los arcos. Jueguen al fútbol normal con tantos jugadores como desee. Se anota un gol cuando la pelota pega en una de las sillas del otro equipo.

Cuando se hace un gol, esa silla golpeada es retirada del arco y se añade al arco del equipo que anotó el gol. Antes de anotarse el primer gol, el escenario debe verse así:

Arco
Equipo "A"   □ □   Arco
                  □ □   Equipo "B"
                  □ □
                  □ □

Después de que el equipo B anota un gol, el escenario debe verse así:

                     □
Arco   □   □   Arco
Equipo "A"   □   □   Equipo "B"
              □   □
                     □

Como resultado, el equipo al que le hicieron un gol, tendrá más fácil y mejor acceso cuando regrese la pelota al juego, mientras el otro equipo tendrá más dificultad. Cada equipo puede tener un arquero, como en el fútbol normal.

CARRERA DE SACARSE LOS ZAPATOS

Divida al grupo en equipos de seis (las chicas deben usar pantalones). Cada miembro del equipo debe acostarse boca arriba con sus pies en el aire, juntándolos en el centro del círculo. Se coloca un recipiente con agua sobre los pies elevados. El objetivo es que cada participante se saque los zapatos sin volcar el agua. El equipo ganador es aquel que saque más zapatos después de tres minutos.

MUEVA SU CADERA

Este es un juego disparatado que puede jugarse una y otra vez. Arregle las sillas en un círculo, de modo que todos tengan una silla. Debe haber dos sillas sobrantes en el círculo. Cada persona se sienta en una silla, excepto dos personas en el centro quienes tratarán de sentarse en las dos sillas vacantes. Las personas sentadas en las sillas se mantienen pasando constantemente de una silla a otra para impedir que los dos en el centro se sienten. Cuando una persona logra sentarse en una silla, la persona a la derecha la reemplazará en el medio del círculo y así seguirá el juego.

SILLAS MUSICALES SORPRESIVAS

Para este juego necesitará sillas para todos, muchas bolsas de papel y algunos globos. Arregle las sillas como para el juego de las sillas musicales, sólo que ahora debe haber suficientes sillas para todos. Infle los globos, anúdelos, póngalos dentro de las bolsas de papel, cierre las bolsas y coloque una en cada silla. Una de las bolsas debe contener un globo de agua. Los jóvenes marcharán alrededor de las sillas y cuando la música pare (o a una señal) todos se sentarán en una silla encima de la bolsa de papel. Quien se siente encima del globo de agua sale del juego. Luego los líderes volverán a ordenar las sillas con más bolsas (asegúrese de que los jóvenes no estén mirando). El juego continúa hasta que quede un solo jugador. (Puede tener más bolsas, tal vez la mitad, conteniendo globos de agua para ahorrar bolsas y hacer el juego más rápido.)

GOLPE REPENTINO

El grupo se sienta en un círculo y en el centro hay un cubo de basura boca abajo. Un jugador es la "clave" y se coloca dentro del círculo con un periódico enrollado. La "clave" camina dentro del círculo y da un golpe repentino en la rodilla de un jugador. La "clave" entonces pone el periódico encima del cubo de basura y regresa a la silla de la persona golpeada antes de que ese jugador tome el periódico y le golpee. Si el periódico se cae del cubo de basura, la "clave" debe volver a ponerlo allí.

SALTO DE LA PELOTA ATADA

Para este juego haga que diez a veinte jóvenes formen un círculo. Usted se coloca en el centro del círculo con una pelota atada a una soga de aproximadamente dos metros de largo. Usted toma la soga en sus manos y empieza a dar vueltas con la pelota a una altura de 12 cms. del piso. El círculo se acerca y cada persona debe saltar la pelota. Mantenga girando la pelota cada vez más rápido hasta que alguien se tropiece y sea eliminado. El que quede último es el ganador. Al avanzar el juego, puede hacer que la pelota gire más veloz y más alto del piso. (Es sabio tener más de una persona que gire la pelota, en caso de mareos.)

TOQUE

Este juego es fácil y resulta fantástico para interior o exterior. Las personas primero hacen fila en cierto orden predeterminado (alfabético, etc.). El líder anuncia el nombre de algún objeto que todos pueden ver. Todas las personas corren y lo tocan y en seguida regresan a sus puestos de las filas. La última persona en regresar a la fila queda fuera del juego. Se puede usar cualquier objeto, incluyendo algo que tenga una persona, por ejemplo: "El zapato derecho de Pepe". Es un juego loco con mucha actividad.

CHOQUE DE TRENES

Este juego es como CANASTA DE FRUTAS (página 81). Arregle las sillas enfrentándose en dos hileras, dejando un pasillo en el medio. Cada persona, incluyendo el conductor, es enumerada y se sienta en una silla. El conductor se para al frente y menciona siete números (sin incluir el suyo). Luego grita: "¡Choque de trenes!" Las personas con los números mencionados deben cambiarse de sillas (no importa a cual, siempre que no sea la suya propia). El conductor trata de encontrar una silla vacía. La persona sin silla es el nuevo conductor.

BALONCESTO DEL CUBO DE BASURA

Esta versión de baloncesto para interior puede ser jugada cuando no se puede jugar al verdadero. Coloque cubos de basura grandes en cada extremo del salón. Use una pelota blanda de 16 cms. de diámetro. Siga los reglamentos del baloncesto normal con estas excepciones:

1. No hay jugadas personales. Todos los movimientos de la pelota son por pases. Esto ayuda a hacer el juego no sólo práctico, sino más justo es una situación mixta.
2. No se puede correr con la pelota, sólo pasarla a otro compañero del equipo.
3. Si toca a un jugador con la pelota, es una infracción. El jugador tocado tiene un tiro libre.
4. Debe haber un círculo dibujado alrededor de los cubos de basura de aproximadamente dos metros de diámetro, el cual es el terreno de nadie. No se permite a nadie allí. Esto previene la tendencia a encestar fácilmente, haciendo el juego más justo para todos.

CARRERA DE FALSO-VERDADERO

He aquí un juego activo que puede ser también educacional. Necesitará preparar una lista de preguntas que puedan responderse con "falso" o "verdadero". Pueden ser preguntas de la Biblia o de conocimiento general.

Distribuya a sus jugadores en dos equipos sentados cara a cara en dos hileras (vea el diagrama). En un extremo habrá una silla vacía marcada "verdadero" y en el otro extremo una silla vacía marcada "falso". Los jugadores de cada equipo deben enumerarse, para que haya los mismos números en cada equipo.

Para jugar, el líder lee una pregunta y anuncia un número. Los dos jugadores con ese número (uno de cada equipo) saltarán y tratarán de sentarse en la silla que representa la respuesta correcta a la pregunta. El primero en sentarse gana un punto para su equipo. Es un juego loco, especialmente si lanzan algunas preguntas difíciles.

Equipo A

Silla ① ② ③ ④ ⑤ ⑥ ⑦ ⑧ Silla
de ⓥ   Ⓕ de
Verdadero   Falso
① ② ③ ④ ⑤ ⑥ ⑦ ⑧

Equipo B

TOQUE DE CONFIANZA

Este es un juego común de *toque,* excepto que los participantes juegan en grupos de a dos. Uno de cada pareja debe tener los ojos vendados. Su compañero de equipo lo guiará manteniendo sus manos en la cintura del otro y diciéndole las instrucciones. El objetivo es que un jugador vendado toque a otro jugador vendado. Una variación para hacer este juego un poco más difícil sería que el participante le dé las instrucciones al compañero vendado sólo empujándolo o jalándolo sin hablar.

6

JUEGOS INTRODUCTORIOS

Todos los juegos en este capítulo están pensados para ayudar a la gente a relacionarse y llegar a conocerse mejor. Son muy buenos como el primer juego cuando se reúne a la gente para un fiesta o una actividad social. Hay una veriedad de juegos introductorios: algunos son para grupos grandes, otros son para grupos pequeños, pero todos pueden adaptarse según sus necesidades.

INFORME DE ACCIDENTE

Entregue a cada persona un lápiz y un papel. A una señal, pueden ser dos platos de aluminio chocándose, cada jugador choca sus hombros con alguien cercano. Después de chocar, debe completarse un informe del accidente con el nombre, dirección, número telefónico, nivel de educación, número del documento de identidad, etc., de la otra persona. Esto puede continuar seis u ocho veces durante la noche, cada vez chocándose con alguien nuevo. Esta es una buena manera de presentarse y también una forma indirecta de reunir los datos de las personas nuevas.

ESPALDAS SECRETAS

Prenda un nombre en la espalda de cada persona (ya sea un nombre gracioso, el segundo nombre o el nombre verdadero si el grupo no se conoce bien del todo). Cuando se da la señal, cada jugador empieza a copiar los nombres de los otros, mientras trata de evitar que la gente copie el nombre de su espalda. Como resultado habrá muchas vueltas y giros. Al final del tiempo establecido el jugador con más nombres en su lista es el ganador.

MEZCLA DE GLOBOS

Este no es sólo un buen juego introductorio, sino también una buena manera de escoger parejas para un juego como PAJARI-TO EN LA PERCHA (página 48), o cualquier otro juego que requiera parejas. Todas las mujeres o la mitad del grupo (lo que sea mejor) reciben un pedazo de papel y un globo. Entonces escribirán su nombre en los pedazos de papel, lo pondrán dentro del globo, lo inflarán y lo atarán. Todos los globos se ponen en el medio del salón. A la señal los varones, o la otra mitad del grupo, agarrarán un globo, lo reventarán, leerán el nombre en el papel y tratarán de ubicar a la persona con ese nombre. La última pareja en encontrarse y sentarse en el piso es la perdedora.

MEZCLA DE NOMBRES

Divida a su gente en pequeños grupos. Los jugadores de cada grupo escribirán su primer nombre en letras mayúsculas en un solo papel con un margen uniforme a la izquierda. Luego, cada grupo tratará de formar tantas palabras como sea posible con las letras combinadas de los nombres. Por ejemplo, las palabras pueden ser de tres letras o más, con un punto de bonificación por palabras de cinco letras, dos por las palabras de seis letras, etc. Puede usarse cualquier combinación de letras mientras que las letras sean colindantes entre ellas. No se permiten los nombres propios ni las palabras extranjeras. Establezca un tiempo límite de tres minutos.

(SAN)
(PIANO)
(SER)
(ARDAN)
(ANDAR)

CONFUSION

Esta es una excelente introducción para cualquier ocasión. Para jugar, cada persona necesita una hoja de juego similar a la siguiente. También deben proveerse lápices.

Usted necesitará hacer su propia lista de tareas. Por lo general siete u ocho serán suficientes para un juego emocionante y activo que demora de cinco a diez minutos. El objetivo es completar cada tarea tan pronto como sea posible. La primera persona que termine es la ganadora. Mientras se desarrolla el juego, hay suficiente "confusión" organizada en el salón. He aquí algunos ejemplos de tareas que se podrán solicitar:

---

1. Consiga diez autógrafos diferentes en el otro lado de este papel (primer y segundo nombres y apellido).
2. Desate el zapato de alguien, luego hágale un lazo otra vez y átelo. Haga que la persona escriba su inicial aquí _____
3. Obtenga un pelo de la cabeza de alguien de aproximadamente 12 cms. de largo. Haga que la persona se lo arranque y ponga sus iniciales aquí _____.
4. Consiga que una chica dé un salto alto y hágala firmar aquí _____.
5. Pídale a un chico que haga cinco flexiones de pecho para usted y que firme su nombre aquí _____.
6. Juegue al "Arroz con Leche" con otras tres personas y hágales firmar aquí _____.
7. Pida a alguien que cuente mientras usted salta la cuerda veinticinco veces, y luego le escriba sus iniciales aquí _____.
8. Recite la poesía "Del cielo cayó una rosa" (u otra conocida) tan alto como pueda con otras dos personas. Una de ellas pondrá sus iniciales aquí _____.
9. Pise a alguien que tenga zapatos blancos y hágale escribir su nombre aquí _____.

DOLORES DINAMICA

Este es un buen juego para que el grupo se conozca. Todos los asistentes se sientan en círculo. Una persona dice su nombre más un adjetivo que empiece con la primera letra de su nombre. Algunos ejemplos: Felipe Feliz, Roberto Raro, Enrique Extranjero, Alberto Alarmante, etc. La siguiente persona repite el nombre y apodo de la anterior y luego dice el suyo del mismo modo. El juego continúa alrededor del círculo con cada persona recordando todos los nombres anteriores y el suyo. La última persona tiene que nombrar a todos. Por largo tiempo, la gente se acordará de "Hugo Hermoso", "Betty Bella" o "Dolores Dinámica". Este juego debe limitarse a treinta como máximo.

QUIERO CONOCERTE

Entregue a todos en el grupo una copia de la siguiente tabla. Cada persona intentará conseguir que alguien le firme en el casillero que contenga una descripción que verdaderamente lo caracterice. La primera persona que logre tener todos los casilleros firmados, o después de un tiempo razonable quien tenga mayor cantidad de casilleros firmados, gana. Alguno puede firmar más de un casillero si coincide con más de una descripción.

El ganador entonces lee al grupo las firmas y las descripciones que firmaron, por lo tanto el juego acaba con risas.

Siento que tengo mal aliento.	Estoy locamente enamorado de alguien en esta sala.	En la escala de uno a diez, mi atractivo sexual es de 3.
Tengo caspa.	Estoy a dieta.	Soy guapo, pero no presumido.
He considerado seriamente cambiar a mis padres por un tocadiscos nuevo.	Básicamente mi hermano/a es un/a gallina.	Tengo miedo de la oscuridad.
No me gusta mi voz. Es muy alta.	Tengo muchas fotos en mi cartera.	Voy a ser famoso/a algún día.
El último romance que tuve fue muy malo.	Quiero ser presidente de mi país.	Creo que los estudios son una pérdida de tiempo.

AGRUPESE

Este juego es similar a CORRAL (página 47) y MASAS (página 54). El grupo entero se mezcla alrededor del salón y el líder grita una característica, como "la inicial de su primer nombre".

Rápidamente todos forman grupos que tengan esa característica. Cuando el líder toca el silbato, el grupo con más personas es el ganador.

Otras características posibles son:

1. Número de personas en su familia inmediata
2. Mes de nacimiento
3. Color favorito
4. Color de la blusa o camisa
5. Edad
6. Nivel de estudio
7. Barrio en que vive

ADIVINE QUIEN

Para una actividad fácil de introducción, pídale a cada persona que escriba algo de sí mismo que probablemente nadie sepa. Si los jugadores tienen problemas en encontrar algo así, sugiera alguna mascota rara que tengan, una comida rara o, si no hay otra cosa, el apellido materno. Reúna todas las claves.

Lea las claves al grupo y pídales que adivinen a quién creen que identifica la clave. Otorgue mil puntos por cada clave adivinada. Cada uno llevará su propio puntaje. Como premio, entregue una copia del directorio de la iglesia, o una libreta de direcciones para que escriban lo que aprenden de la gente en el grupo.

IDENTIDAD

Al entrar la gente al salón, llenarán su tarjeta de identificación y la depositarán en una caja o cesta. Después de que todos hayan llegado, hágales pararse en un círculo. Pase la canasta alrededor y cada persona sacará una tarjeta con un nombre (pero no el suyo propio) sin dejar que nadie más vea el nombre.

Entonces, todos girarán hacia la izquierda y colocarán la tarjeta en la espalda de la persona que está parada enfrente suyo. El objetivo del juego es descubrir el nombre impreso en la tarjeta de identificación prendida en su espalda. Identifique el nombre haciendo preguntas que puedan ser respondidas con "sí" o "no" como: "¿Soy pelirrojo?" o "¿Llevo jeans?" Cada persona puede hacer sólo dos preguntas a la persona con quien se encuentre.

Cuando un jugador descubre el nombre que tiene detrás va a esa persona, pone sus manos sobre los hombros de ella y procede a seguirla alrededor del salón. A medida que más gente descubre su identidad, las filas con las manos sobre los hombros se alargarán hasta que la ultima persona encuentre su identidad.

Otro modo de jugar es usando etiquetas adhesivas en vez de tarjetas. Entonces, en vez de ponérselas en las espaldas, las colocarán en la frente de cada uno. Esto hace posible hablar con alguien mientras está mirando el nombre que tiene en la frente.

LOTERIA HUMANA

Esta es una manera divertida de romper el hielo y aprender el nombre de todos. Entregue a cada persona una tabla de lotería (mire el ejemplo). Llene los cuadrados con los nombres de las personas que se adapten a las varias descripciones. Cada persona debe firmar su propio nombre. La primera persona que complete cuatro cuadrados en línea grita: "¡Lotería!"

Alguien con granos	Alguien dueño de un perro	Alguien con lentes de contacto	Un extranjero
Alguien con tres hermanos	Alguien que se está quedando calvo	Alguien rubio	Alguien con excelentes calificaciones
Alguien con cabello corto	Un fotógrafo aficionado	Firme su propio nombre	Alguien que ha visitado otro país
Alguien que juega al fútbol	Alguien a quien le gusta correr	Alguien que lleva calcetines azules	Alguien que maneja un auto importado
Alguien nacido fuera del país	Alguien que toca guitarra	Alguien que no tenga novio	Alguien que pesa más de 100 kgs.
Alguien dueño de una bicicleta	Alguien que comió en un restaurante en esta semana	Alguien que pesa menos de 50 kgs.	Alguien que tiene un gato

INTERROGACION

Este es especialmente un buen juego para conocerse mejor con la gente nueva en el grupo o con los organizadores.

Empiece dividiendo el grupo en cualquier número de equipos. Cada equipo busca a una persona para interrogarla. Se informa a los grupos que los líderes han preparado una lista de veinte preguntas como: "¿Cuál es su comida favorita?" o "¿Cuándo es su cumpleaños?" El grupo no sabe cuáles son las preguntas. Tienen diez minutos para interrogar a su escogido y tratar de obtener la mayor cantidad de información posible. Cuando se acabe el tiempo establecido, se les darán las preguntas y deben tratar de responderlas lo mejor posible. Si han hecho un buen trabajo al interrogar a su seleccionado, entonces podrán responder la mayoría de las preguntas. El equipo que conteste más preguntas correctamente es el ganador.

REVUELTO COMBINADO

Este es un juego fantástico para ayudar a los jóvenes en un grupo a conocerse mejor. Entregue a cada persona tres tarjetas de 6 × 10 cms. (o tiras de papel). Todos deben escribir algo de sí mismos en cada papel. Algunos tópicos sugeridos pueden ser estos:

1. El momento más vergonzoso que he tenido
2. Mi ambición secreta
3. La persona que más admiro
4. El momento más feliz de mi vida
5. Si tuviera un millón de dólares . . .

Se recogen las tarjetas, se mezclan y se vuelve a repartir tres a cada persona. Nadie debe tener su propia información. A la señal, todos tratan de relacionar cada tarjeta con una persona en el salón, haciendo preguntas para determinar de quién es la tarjeta. Quien pueda relacionar las tres tarjetas primero es el ganador. Todos terminan y luego comparten su hallazgo con el resto del grupo.

COMBINACION

He aquí un buen juego que puede usarse para romper el hielo o como juego introductorio. Realmente logra que la gente converse entre sí y es muy divertido. Se escriben tarjetas de 6 × 10 cms. con afirmaciones como las que figuran abajo. Las palabras sobresalientes se escriben en el lado derecho de la tarjeta que luego es cortada (vea la ilustración).

He aquí una lista modelo de frases:

Siempre como salchichas con **huevos**
Tarzán vivió en la selva con su esposa **Jane**
Dios hizo a Adán y a Eva, **su mujer**
Para arrancar el auto necesita **combustible**
Para lograr la atención de una mula, primero debe pegarle con **una tabla**
¿De qué vale un emparedado de jamón sin **jamón**?
En boca cerrada no entran **moscas**

Se distribuyen las partes grandes y pequeñas de las tarjetas a diferentes personas con la indicación de que deben de hallar la combinación correcta de su tarjeta. Deben hacerlo, presentándose a alguien, luego juntando las tarjetas y leyendo el mensaje en voz alta. Algunas combinaciones pueden ser muy chistosas. Si dos personas creen que tienen la combianción correcta, deben ir al líder designado y revisarla. Si han acertado, pueden sentarse. Otra variación es darle a cada uno una porción grande y una pequeña de las tarjetas que no combinan y hacerles buscar una combinación para cada porción (dos combinaciones en total).

MEZCLA DE IDENTIFICACION

Esta es una buena sugerencia de un juego introductorio para usarse cuando la gente no se conoce bien. Haga tarjetas de identificación de aproximadamente 16 cms. (o más) cuadrados, para cada persona asistente. En el medio escriba el nombre de la persona pero deje suficiente espacio para escribir otras cosas. Cuando esté listo para empezar, entregue a cada persona la identificación de algún otro y hágales encontrar a la persona a la cual le pertenece. Después de hallarla, pueden prender o colgarle la identificación. Una vez que tengan sus propias tarjetas de identificación, seguirán andando por el salón conociendo a la gente y haciéndoles autografiar sus tarjetas. Después de diez o quince minutos, detenga el juego y entregue un premio a quien tenga más nombres en su tarjeta de identificación.

PONGALE NOMBRE A ESA PERSONA

Este es un buen juego que ayuda a la gente a conocerse mucho mejor. Divida a los asistentes en dos grupos iguales. Para grupos grandes, divida en cuatro equipos y haga una competencia entre los dos equipos ganadores y los dos perdedores.

Entregue a cada persona una tarjeta de 6 × 10 cms. (o un trozo de papel), hágales escribir cinco hechos poco conocidos de sí mismos (vea los ejemplos siguientes) y firmar con su nombre.

Recoja todas las tarjetas y manténgalas separadas por equipos. El juego está listo para comenzar.

El objetivo es encontrar el nombre del autor de la tarjeta que el líder saca (del montón de tarjetas del otro equipo) usando la menor cantidad de claves posible. Comience haciendo apuestas entre los equipos, por ejemplo: "Podemos nombrar a esa persona con cinco claves", "Podemos nombrar a esa persona con cuatro claves", etc. El equipo que gana la apuesta tiene cinco segundos para adivinar después de leer el número apropiado de claves. Asigne un vocero en cada grupo y rote. El equipo puede reunirse para llegar a una respuesta. Mientras más interacción haya entre los miembros de los equipos, es mejor. Si fallan o si no responden en cinco segundos, los puntos van al otro equipo. El puntaje va así:

1 clave = 5 puntos
2 claves = 4 puntos
3 claves = 3 puntos
4 claves = 2 puntos
5 claves = 1 punto

Continúe con el juego hasta que todas las tarjetas hayan sido adivinadas. Sume los puntos y anuncie al ganador. Entregue premios si lo desea. Otra variación del juego es leer el resto de las claves en la tarjeta después de que hayan jugado, si no se han leído y si la adivinanza original fue equivocada. Entonces déjeles intentar adivinar de nuevo sólo para divertirse.

SIETE FRIJOLES

Este es un juego introductorio que funciona mejor con un grupo grande. Entregue a cada uno siete frijoles. Las personas caminan por la sala haciéndose preguntas. Cada vez que un jugador logre que otro responda su pregunta con un "sí" o "no", gana un frijol del otro jugador. El juego continúa por diez o quince minutos. La persona con más frijoles gana un premio.

FIRMAS

Este es un juego introductorio que puede usarse con cualquier edad. Es fácil y divertido para jugar. Entregue a cada persona una hoja de papel y un lápiz. En el margen izquierdo del papel estarán escritas las letras de una palabra o frase seleccionada por su relación con el día feriado o la ocasión de esa reunión. Por ejemplo, si es una fiesta de Navidad, las palabras escritas al margen pueden ser "¡Feliz Navidad!"

A la señal, los jugadores tratarán de encontrar a alguien cuyo nombre o apellido empiece con cada una de las letras de la palabra o frase clave. Cuando lo encuentren le harán firmar al lado de la letra correspondiente. La primera persona que logre obtener las firmas al lado de todas las letras de su papel es el ganador.

Si no hay un ganador después de cierto período de tiempo, pare el juego y quienquiera que tenga más firmas es el ganador. En caso de empate, quien tenga más primeros nombres que combinen, gana. La frase puede ser más larga para grupos grandes o más corta para grupos pequeños.

JUEGO DE SITUACION

Si su grupo está sentado en·un círculo o en filas de sillas, este es un juego divertido para avivar el entusiasmo. Cada uno murmura a la persona de su derecha: "Usted es . . . (El Santo, El Puma, Julio Iglesias, etc.)". ¡Sea creativo! A la persona de su izquierda, le dirá: "Usted está en . . . (el baño, en la punta de un mástil, etc.)" Luego todos buscan nuevos asientos. Entonces murmuran al oído de la persona en su derecha: "Usted lleva puesto . . ." A la persona en su izquierda, le murmuran: "Usted está haciendo . . ." Luego, cada persona informa al grupo "quién es", "dónde está", "qué lleva puesto" y "qué está haciendo". Los resultados son divertidísimos.

CACERIA DE ESTADISTICAS

He aquí un juego excepcionalmente bueno para que los grupos se conozcan. Divida al grupo en equipos de igual número, si es posible. Entregue a cada equipo una hoja de preguntas escritas con máquina o mimeografiadas, que deben contestarse y evaluarse como se indica en esta página. Cada equipo designa un capitán quien actúa como el que recoge la información y la escribe. (Este juego puede realizarse alrededor de las mesas en los banquetes.)

A continuación damos una lista de preguntas modelos y el método de puntaje. Esto puede sugerirle otras preguntas que usted considere más apropiadas para su grupo u ocasión particular.

Preguntas generales:

_____ 1. Contando a enero como un punto, febrero como dos puntos y así hasta diciembre, sume el número de puntos por cumpleaños en su mesa. Solo por meses, no por años.

_____ 2. Contando un punto por cada estado (departamento o provincia) diferente, sume el puntaje total de los diferentes estados de origen representados.

_____ 3. Sume todos los tamaños de zapatos de un solo pie.

_____ 4. Sume el número de operaciones que cada uno en

su mesa haya tenido. Incluya las cirugías dentales, pero no una simple extracción de muela. Reserve todos los detalles interesantes para después.

_____ 5. Sume el puntaje total de su color de cabello: negro cuenta dos; castaño cuenta uno; rubio cuenta tres; rojizo cuenta cinco; gris cuenta tres; blanco cuenta cinco.

_____ 6. Anote un punto por cada artículo hecho por ellos mismos que lleven sus compañeros de equipo.

_____ 7. Sume el número total de kilómetros recorridos por cada miembro de su equipo para llegar a esta reunión.

_____ 8. Sume el número de hijos y nietos que sus compañeros de equipo tengan. Si marido y mujer están sentados juntos o en el mismo equipo, cuente los hijos sólo una vez. Anote de la manera siguiente: cada hijo cuenta un punto; un par de gemelos cuenta cinco puntos; los nietos cuentan tres puntos cada uno.

_____ 9. Anote un punto por cada universidad o academia a la cual ha asistido, no necesariamente tiene que haberse graduado.

FICCION

Este es un buen juego para grupos que se conocen entre sí bastante bien. Entregue a cada persona un trozo de papel y un lápiz para que escriban cuatro cosas acerca de sí mismos. Tres deben ser verdaderas y una debe ser ficticia (ficción), pero que parezca verdad. (Base las oraciones verdaderas en hechos poco conocidos, así por comparación, la ficción parecerá verdad.)

Todos leen su lista y cada persona trata de adivinar qué oración es la ficción. (No revele la ficción hasta que todos hayan opinado.) Quienquiera que adivina correctamente gana un punto. La persona cuya lista es leída gana un punto por cada opinión equivocada.

Una variación podría ser que adivinen cuál oración es verdadera de cada tres ficticias.

7

CARRERAS DE RELEVOS

Las carreras de relevos son juegos para todo uso y que pueden ser desarrollados puertas adentro o al aire libre, con grupos grandes o pequeños. Involucran trabajo de equipo como también competencia individual.

Todas las carreras de relevos son básicamente las mismas: los equipos forman fila y cada miembro de equipo debe correr el curso de la posta o desempeñar una tarea particular en sucesión. El primer equipo cuyos miembros hayan completado la tarea es el ganador.

He aquí un diseño básico de juegos de carreras de relevos, donde participan cuatro equipos.

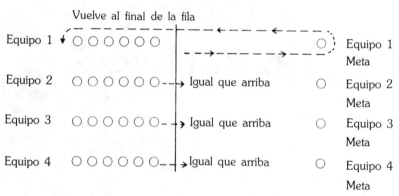

He aquí otro modo emocionante de hacer las carreras de relevos, el cual añade la posibilidad de un choque en el centro del área de juego:

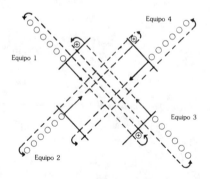

Este capítulo tiene algunos de los mejores juegos de carreras jamás inventados. Pueden, por supuesto, cambiarse o adaptarse de acuerdo con sus necesidades.

POSTA DE PAREJAS PEGADAS

Esta carrera de relevos involucra a parejas. Se coloca una pelota (como las de baloncesto o de voleibol) entre dos jugadores, justo arriba de la cintura, mientras se paran espalda contra espalda.

Con sus brazos doblados hacia el frente (sin usar los codos), deben llevar la pelota alrededor de una silla (o cualquier otra meta) aproximadamente a diez metros de distancia.

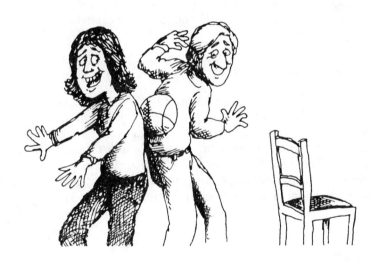

POSTA DE ESPALDA CONTRA ESPALDA

Nuevamente, este juego requiere parejas que se paren espalda contra espalda. Se les amarra juntos, con una soga corta y deberán correr hasta la meta y regresar, con una persona corriendo hacia adelante y la otra hacia atrás. En el viaje de regreso, la persona que corre hacia adelante corre hacia atrás y viceversa.

POSTA DE BATEAR EL GLOBO

Los equipos forman fila de a uno, con los jóvenes tan cerca uno de otro como puedan. Cada equipo obtiene un globo. La persona al frente de la fila lanza con su mano el globo entre las piernas y cada participante sucesivo hace lo mismo hasta que llegue a la última persona. Esta corre al frente de la fila y el juego continúa hasta que el equipo vuelva a su formación original.

POSTA DE BARRER EL GLOBO

Los jugadores deben maniobrar un globo hacia la meta y regresar usando una escoba, barriéndolo por el suelo. No es fácil.

POSTA DE BALONCESTO

Los equipos forman filas de a uno. El primer jugador recibe una pelota de baloncesto (o cualquier otra pelota grande). Este la pasa al jugador detrás de él por encima de su cabeza. La siguiente persona la pasa al que sigue por entre sus piernas y así sucesivamente. La última persona que recibe la pelota, va al frente de la fila y empieza el proceso de nuevo. El primer equipo que logra llegar a su formación original gana.

POSTA DEL BATE

Cada equipo recibe un bate de béisbol (o un periódico enrolla-do) que se coloca en uno de los extremos del área de juego, con el equipo alineado en el otro extremo. Cada jugador corre al bate, pone la frente en el bate (sosteniéndolo en posición vertical) y gira alrededor del bate diez veces, mientras lo mantiene en esa posición. Luego debe regresar a su equipo sin caerse.

POSTA DE SOPLAR EL VASO

Entregue a cada equipo un pedazo de cordel de cuatro metros de largo, con un vaso de papel insertado en el cordel (vea la ilustración).

El cordel se sostiene tenso y el vaso de papel se pone en un extremo. Los equipos hacen fila de uno a uno. A la señal, cada jugador debe soplar el vaso hacia el otro extremo (con sus manos detrás de la espalda) y luego empujarlo hacia el principio para el siguiente jugador. El primer equipo que termine, gana.

POSTA DE LLENAR LA BOTELLA

Cada equipo señala a una persona para que se acueste sobre el piso a cierta distancia del grupo, sosteniendo en su frente una botella vacía de leche o refresco. Cada participante del equipo corre hasta esa persona con un vaso lleno de agua y trata de llenar la botella. La botella debe ser lo suficientemente grande, como para necesitar varios vasos para llenarla. El primer equipo que llene su botella gana.

POSTA DE SALTAR LA ESCOBA

Divídanse en equipos. La primera pareja en cada equipo recibe una escoba. A la señal, la pareja agarra los extremos de la escoba y corre hacia atrás a través de la fila, sosteniendo la escoba justo por encima del piso. Cada uno en la fila salta sobre la escoba. Cuando la pareja llega al final de la fila, pasan la escoba hacia adelante de mano en mano, no tirándola. El primer equipo que tenga a su pareja original encabezándolo de nuevo, gana.

POSTA DE GIRAR CON LA ESCOBA

El líder del grupo sostiene una escoba a unos ocho metros de distancia. Cuando comienza el juego, cada participante corre hacia su líder de equipo, toma la escoba, la sostiene contra su pecho con el extremo (la paja) hacia arriba, sobre su cabeza. Mirando hacia arriba a la escoba, el jugador debe girar tan rápido como sea posible diez veces, mientras el líder cuenta el número de giros. Entonces el jugador le devuelve la escoba al líder, corre hacia su equipo y toca al siguiente jugador. Los jugadores se marean bastante.

POSTA DE LA CAJA CHOCADORA

Para esta carrera de relevo, se necesita una caja grande para cada equipo. Cada primer jugador introduce la cabeza en la caja. A la señal, los jugadores hacen una carrera hasta la pared opuesta (o meta) y regresan mientras su equipo les grita desde detrás de la línea de partida para indicarles el camino. Para añadir dimensión a este juego, decore las cajas con colores vivos, con los nombres de los equipos o lo que deseen.

POSTA DE LA MONEDA, EL LIBRO Y LA PELOTA

Es divertido observar esta carrera. A cada equipo se le entrega una moneda grande, una pelota de tenis (o cualquier tipo de pelota de ese tamaño) y un libro. La idea es balancear el libro sobre su cabeza, sostener la moneda en su ojo y mantener la pelota entre sus rodillas mientras camina hasta la línea de llegada. No se permite la ayuda de las manos.

CARRERA DE BOLITAS DE ALGODON

Entregue a cada equipo un número de bolitas de algodón en un recipiente, tal como un plato sopero o una olla. Cada equipo recibe también una espátula y una caja de cartón de huevos.

A la señal, la primera persona de cada equipo levanta una bolita de algodón con la espátula y trata de mantenerla balanceada en la espátula mientras corre hasta la meta y regresa. Si pierde la bolita de algodón debe empezar otra vez. Cuando vuelve a su equipo con la bolita de algodón, la pone en la caja de huevos. El primer equipo que llena la caja de huevos, gana.

LLEVAR LOS CERDOS AL MERCADO

Los equipos forman fila detrás de la línea de partida. Entregue al primer jugador una varita (un palo de árbol o uno de escoba) y un cerdo (una botella de refresco o un huevo). A la señal, el primer jugador lleva al cerdo hasta la meta y regresa, empujándolo con su varita.

POSTA DEL HUEVO Y LA AXILA

La mitad del equipo hace fila en cada lado de la sala. La primera persona corre hasta el otro lado sosteniendo con la boca una cuchara con un huevo. El compañero de equipo en el otro lado del salón, toma el huevo, lo pone en su axila y corre atravesando la sala, hasta el otro lado. Allí deposita el huevo de debajo de su axila en la cuchara de la siguiente persona.

POSTA DEL HUEVO Y LA CUCHARITA

Cada jugador de cada equipo recibe una cuchara. Los equipos hacen fila y se coloca una docena de huevos en una punta de la fila. Los jugadores deberán pasar los huevos hasta el final de la fila usando sólo las cucharas, no las manos, excepto para el primer jugador que pone el huevo sobre la cucharita. El equipo ganador es el que logra pasar hasta el final de la fila la mayoría de los huevos, sin romperlos, en el tiempo más breve. Una variación es usar canicas, en vez de huevos.

RODADA DE HUEVO

En esta carrera de relevos, los jugadores ruedan un huevo crudo a lo largo de una ruta de obstáculos, con sus narices. Si el huevo se rompe, el jugador debe empezar otra vez con otro huevo.

POSTA DE LA CINTA ELASTICA

Para este juego necesitará hacer varios círculos de cinta elástica. Consiga cintas elásticas de aproximadamente 75 cms. de largo y áteles los extremos o cósalos.

Esta carrera es sencilla. Cada jugador corre hasta donde está la cinta elástica, se mete en ella (desde la cabeza hasta los pies o viceversa), deja la cinta y regresa a su equipo.

La segunda vuelta puede ser haciéndolo dos personas al mismo tiempo.

SOPLE EL GLOBO

Cada equipo obtiene un globo y un abanico (puede ser cualquier cosa, como la cubierta de un álbum de disco). A la señal, cada jugador, sin tocar el globo, debe abanicarlo hasta la meta y regresarlo, sin que el globo toque el suelo.

POSTA DE LA PLUMA

Entregue a cada equipo una caja de plumas pequeñas (las de gallina, pollo o pato son las mejores). Debe haber una pluma por cada miembro de equipo. A la señal, la primera persona del equipo sopla su pluma (por el aire) a lo largo del salón y hasta una caja pequeña. En ningún momento debe tocar la pluma. La persona puede, por otro lado, soplar la pluma de su oponente en la dirección contraria si aparece la oportunidad. La carrera continúa hasta que el equipo haya soplado todas las plumas, una a la vez hasta la caja. Esta carrera puede ser doblemente emocionante si se hace sobre las manos y las rodillas.

POSTA DE FRENTE

Esta posta es para parejas en equipo. Cada pareja corre hasta la meta y regresa, mientras sostiene una naranja o un globo entre sus frentes. Si se les cae, deben empezar otra vez.

POSTA DE ATRAPARSE

Divida el grupo en dos equipos. Acomode la sala o campo de acuerdo al diagrama siguiente. Cada equipo hace fila de a uno detrás de sus marcadores. A la señal, los primeros jugadores corren alrededor de la pista, como en una carrera de relevo normal, una vuelta y tocan a los siguientes jugadores.

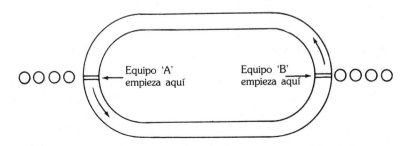

El objetivo es tocar al corredor del otro equipo. Los equipos siguen corriendo en la pista hasta que finalmente una persona es tocada (atrapada). El equipo que primero atrapa al otro es el ganador. Asegúrese de dividir a los equipos de manera que sean parejos en velocidad. Una variación es correr de espaldas, en triciclos, o saltando en un pie.

POSTA DE AGARRAR LA BOLSA

Cada equipo hace una fila individual detrás de una línea. Se coloca una bolsa de papel, conteniendo cosas comestibles envueltas individualmente, sobre una silla en el lado opuesto de la sala. A la señal, la primera persona de la fila corre hacia la silla, se sienta, toma la bolsa sin mirar el interior, saca algo, lo desenvuelve y lo come. Cuando ha tragado la última mordida, un juez lo aprueba y el jugador regresa corriendo a la posición inicial para que el próximo jugador tome su turno. Cada jugador debe comer lo que saca de la bolsa. El primer equipo que se coma todo el contenido de la bolsa, gana. Algunas sugerencias para poner en la bolsa son pepinillos, aceitunas, cereal, bizcochos, caramelos y zanahorias.

PASE DE MONEDA

Este es un buen juego de carreras mixtas de relevos. Los equipos forman fila de hombre-mujer-hombre-mujer, con su mano derecha extendida y la palma hacia abajo. Se coloca una moneda sobre la mano del primer jugador. Deberán pasarla por sus manos derechas, siempre con la palma hacia abajo y sin usar la otra mano. Si se les cae la moneda deben empezar otra vez desde el principio.

CARRERA DEL GRAN POLLO

Esta es una carrera donde participan las parejas. El joven anda sobre sus manos y rodillas, con los ojos vendados. La chica va junto a él y lo guía por un camino de obstáculos dándole indicaciones. Pero ella está bastante imposibilitada por tener un huevo crudo en su boca. Si ella lo rompe, ambos se ensucian.

POSTA DE BEBIDAS

Cada persona recibe una pajilla (o sorbete). Se coloca una botella de jugo de manzana (u otra bebida) a cierta distancia lejana. Cuando suena el silbato, la primera persona de la fila corre hacia el jugo y comienza a beberlo rápidamente. Cuando suena el silbato otra vez, para y la próxima persona toma su lugar. (Algunas personas tomarán mucho jugo, otras tomarán poco, dependiendo del juicio del líder.) El primer equipo que termine de beber su jugo de manzana gana.

POSTA DE MANOS LLENAS

Use su imaginación para coleccionar una variedad interesante de por lo menos doce pares idénticos de cosas (dos escobas, dos pelotas, dos sartenes, dos rollos de papel higiénico, dos escaleras, etc.). Acomode dos mesas y coloque una cosa de cada par en cada mesa.

Cada equipo forma una fila para cada mesa. El primer jugador corre a su mesa, escoge una cosa de su preferencia, regresa corriendo a su equipo y lo pasa al segundo jugador. Este lleva la primera cosa hasta la mesa, recoge otra y lleva ambos objetos de regreso al tercer jugador. Cada jugador sucesivo lleva las cosas recolectadas por sus compañeros de equipo, recoge una nueva y lleva todas de regreso al siguiente. El juego empieza rápidamente, pero va disminuyendo su velocidad cuando cada jugador decide cuál objeto añadir y luego pasa la carga de su brazo al siguiente jugador.

Una vez que se lo toma, el objeto no puede tocar la mesa o el suelo. Cualquier cosa que se caiga en el tránsito o traspaso debe ser devuelta a la mesa por el líder. Nadie puede ayudar a los jugadores dadores y recibidores en su traslado, excepto a través de indicaciones. El primer equipo que vacíe la mesa, gana.

POSTA DE HULA-HULA

He aquí algunas carreras de relevos usando el famoso aro plástico (hula-hula), el cual todavía está disponible en las tiendas de juguetes.

1. Coloque un hula-hula en el suelo, a seis o más metros delante de cada equipo. El objetivo es que cada jugador corra hacia el aro, lo recoja, se dé cinco o diez vueltas en él (usted decide cuántas), lo deje y regrese a la fila.

2. Cada jugador da vueltas en él mientras camina o corre a una meta a seis o más metros del equipo, y da vueltas en él para regresar. Si el hula-hula se cae, el jugador debe pararse, hacer que el aro rote otra vez y continuar.

3. Coloque el aro de hula-hula a seis metros o más del equipo. El jugador corre hasta el aro, se para en él y lo hace trabajar para subirlo hasta su cabeza solamente con sus pies, piernas, brazos y cuerpo, pero no con sus manos.

4. Esta carrera es similar a la anterior, sólo que dos o tres personas corren hasta el aro al mismo tiempo y, sin usar las manos, hacen subir el aro alrededor de sus cinturas. Luego corren hasta la meta y regresan con el aro colocado alrededor de sus cinturas sin usar las manos.

PISTA DE OBSTACULOS HUMANOS

Para esta carrera de relevos, cada equipo hace una fila individual detrás de la línea de partida. Se usan diez miembros adicionales como la pista de obstáculos: uno como un poste parado para circular alrededor, uno haciendo un túnel con sus piernas para ir por debajo, varios arrodillados sobre una pierna y con la otra como silla para brincar, otro como poste parado para circular alrededor antes de regresar a la línea inicial. A la señal, la primera persona recorre la pista. Si omite un obstáculo o lo ejecuta incorrectamente, el corredor deberá repetir ese obstáculo.

POSTA DEL NEUMATICO

Los equipos se dividen en parejas y hacen fila en las diferentes esquinas de la sala. Ponga un neumático (del tamaño regular de una llanta de auto) para cada equipo en el centro de la sala. Cada pareja debe correr hacia el neumático, y la señorita debe tomarlo, ponerlo por la cabeza del joven y sacarlo por los pies. El primer equipo en el cual todas sus parejas hayan terminado de ponérselo, gana.

POSTA DE RODAR EL NEUMATICO

Divida el grupo en equipos con un número igual de personas en cada uno. Pídale a cada equipo que formen parejas. La primera pareja de cada equipo se para detrás de la línea de partida. Un neumático grande e inflado (preferible del tamaño de un ómnibus o camión) se coloca sobre el piso entre ellos. Antes de que el juego empiece, asegúrese de que los jugadores comprendan que no pueden tocar el neumático con sus manos. Cuando suene el silbato la pareja debe parar el neumático, rodarlo juntos alrededor de una silla y regresar a la línea de partida. Si el neumático se cae mientras lo están rodando, debe regresar a la línea inicial y empezar de nuevo. Cuando la pareja completa victoriosamente su viaje de ida y vuelta, la próxima pareja acuesta la llanta sobre el suelo y sin usar sus manos, la paran y repiten el proceso.

CARRERA DE LIMON

Los equipos forman fila en línea recta. Entregue a la primera persona un lápiz y un limón. El objetivo es empujar el limón hasta la línea final y regresar, usando sólo el lápiz. El jugador debe empezar otra vez si el limón rueda fuera del carril asignado. Lo difícil de esta carrera es parar el limón cuando se va rodando muy lejos.

CARRERA LOCA

En esta carrera, cada jugador hace algo diferente. Al principio de la carrera, cada equipo forma una fila individual. A la señal, la primera persona de cada equipo corre al otro extremo de la pista donde hay una silla. Sobre la silla hay una bolsa conteniendo instrucciones escritas en trozos separados de papel. El jugador saca una de las instrucciones, la lee y la sigue tan rápido como puede. Antes de volver a su equipo, el jugador debe tocar la silla y luego regresar corriendo y tocar al siguiente corredor. El equipo que completa primero todas las instrucciones es el ganador. He aquí algunas instrucciones para modelo:

1. Corra alrededor de la silla cinco veces, mientras grita continuamente: "Estoy loco, estoy loco".

2. Corra hacia la persona más cercana del otro equipo y rásquele la cabeza.

3. Corra hacia el adulto más cercano en el salón y dígale al oído: "Usted se está poniendo viejo."

4. Párese en un pie mientras sostiene el otro con una mano, incline su cabeza hacia atrás y cuente "10, 9, 8, 7, 6, 5, 4, 3, 2, 1, ¡Despegue!"

5. Sáquese los zapatos y colóqueselos en los pies equivocados, luego atrape a su oponente más cercano.

6. Siéntese sobre el piso, cruce las piernas y cante lo siguiente: "Tengo una muñeca vestida de azul, zapatitos blancos, delantal de tul."

7. Vaya a la última persona de su equipo y haga tres expresiones faciales chistosas y diferentes, luego vuelva a la silla antes de tocar a su próximo corredor.

8. Ponga sus manos sobre los ojos, gruña como un cerdo cinco veces y maúlle como un gato cinco veces.

9. Siéntese en una silla, doble sus brazos y ríase fuerte y en voz alta por cinco segundos.

10. Corra hacia atrás alrededor de la silla cinco veces, mientras palmotea con sus manos.

11. Vaya a una rubia y repítale la pregunta: "¿Es verdad que las rubias se divierten más?", hasta que le conteste.

12. Corra hacia alguien que no sea de su equipo, bésele la mano y gentilmente pellízquele la mejilla.

CARRERA DEL COLCHON

Este juego es excelente para campamentos o grupos grandes. Divida el grupo en dos equipos. Los varones se acuestan sobre sus espaldas en el piso, lado a lado, alternando cabeza con pie (vea la ilustración).

Una chica es transportada en un colchón por sobre la fila de los varones y al llegar al final sale de un salto. Entonces, el colchón se pasa de vuelta y otra chica se sube sobre él. Si una chica se cae, debe subirse de nuevo al colchón donde se cayó. El equipo de varones que transporte a sus chicas en menos tiempo gana.

Esto funciona mejor cuando los jóvenes están en la edad de la secundaria, y cuando participan unas quince chicas. Cuanto más livianas sean mejor.

COMPETENCIA DEL COLCHON

En esta posta, los varones llevan a todas las mujeres, una por una, a una distancia de veinte metros en un colchón. Este debe ser cargado por encima del hombro o el equipo tendrá que empezar de nuevo. El primer equipo que logre cruzar a todas las mujeres hasta la línea final es el ganador.

CARRERA DE ABSORBER CANICAS

Divida el grupo en varios equipos. Entregue a cada persona un sorbete (pajilla para beber) de plástico y un vaso de cartón. La primera persona en cada equipo tendrá una canica en su vaso. El objetivo es absorber la canica con la pajilla y despositarla en el vaso de la siguiente persona. Si la canica se cae al piso, el equipo debe comenzar de nuevo desde el principio. El primer equipo que logre pasar la canica a la última persona gana.

CARRERA DE MONOCULO

En esta carrera, la primera persona de la fila pone una moneda en su ojo (estilo monóculo) y la mantiene allí, sin usar las manos, mientras corre alrededor de la mesa y vuelve. Si se le cae la moneda, el jugador debe empezar otra vez.

COMPETENCIA DE NOTICIAS

Los equipos forman fila en un extremo de la sala. En el otro extremo, cuelgue la página titular del periódico, varios recortes o un periódico entero. Prepare con anticipación preguntas acerca de las noticias. Anuncie las preguntas. Entonces una persona de cada equipo correrá hacia el periódico y ubicará la respuesta correcta. El primer jugador que la grite gana puntos para su equipo.

CARRERA DE BARRER EL MANI

Tenga dos equipos formados en fila uno atrás del otro (una mitad del equipo se alínea de a uno detrás de una línea, la otra mitad hace fila detrás de una línea paralela poniéndose de frente a los primeros). La primera persona de cada equipo obtiene una escoba. Se le pone enfrente una pila de maníes (cacahuates). A la señal, la persona con la escoba barre los maníes a la fila opuesta y le da la escoba a la primera persona de esa fila. Esta persona en turno barre los maníes de vuelta a la otra fila y así continúan hasta que todos en ambas filas hayan tenido sus turnos. El primer equipo en terminar, gana.

CARRERA DE PELOTAS DE PING-PONG

Seleccione a varios jóvenes para la carrera de las pelotas de Ping-Pong. Cada jugador obtiene un soplador de fiesta (el tipo que se desenrolla cuando se sopla) y con eso empuja las pelotas por el suelo. No se puede soplar directamente a la pelota o tocarla de cualquier modo excepto con el soplador de fiesta. El primer equipo que pase la línea final gana.

PUERCO-ESPIN ESPONJOSO

Este juego se hace más difícil y chistoso a medida que se juega. Divida a su grupo en dos o más equipos. Entregue a cada jugador un palillo de dientes y tenga un caramelo blando grande por equipo. El primer jugador pone el caramelo en su palillo de dientes y luego sostiene el palillo con sus dientes.

Pasen el caramelo blando de jugador a jugador solo hincando el palillo en el caramelo y dejándolo al entregarlo. No se permiten las manos. Al ser pasado, al caramelo se le va agregando un palillo de cada jugador.

Es muy gracioso ver a los jugadores tratando de evitar ser pinchados por los otros palillos del caramelo. El primer equipo en terminar es el ganador. Al final, el producto es un caramelo parecido a un puerco-espín.

POSTA DE PAPAS

Los equipos hacen fila y cada jugador debe empujar una papa por el suelo hasta la meta y regresar, usando solamente las narices. No se permiten las manos.

CARRERA DE SACOS

Es un juego antiguo pero bueno, y todavía es divertido. Consiga algunos sacos de yute (o fundas de almohada) y haga competir a los jóvenes con sus pies dentro de los sacos, saltando hasta la meta y regresando.

CARRERA DE CAJAS DE ZAPATOS

Entregue a cada equipo dos o más cajas de zapatos. Si tiene suficientes, entregue dos a cada participante. Los jugadores ponen sus pies en las cajas y van andando alrededor de la meta y vuelven. Es divertido mirarlos.

CARRERA DE ATRAPAR ZAPATOS

Este es un juego de carrera de relevos especial para fiestas o reuniones de grupos grandes (cuanto más grande sea el grupo, mejor). Primero, todos necesitan sacarse los zapatos y los ponen en un montón grande en un extremo de la sala (los zapatos deben estar lo más mezclados posible). Luego divida al grupo en equipos iguales. A la señal, la primera persona describe sus zapatos a la persona siguiente en la fila quien corre al montón de zapatos, los busca, los trae de regreso y se los pone a la primera persona. Si los zapatos son los equivocados, vuelve y toma los correctos. El juego continúa con la última persona en la fila describiendo sus zapatos a la primera persona. El primer equipo que tenga todos sus zapatos es el ganador. Este juego es especialmente divertido ya que muchos llevan zapatos similares, haciendo casi imposible en algunos casos encontrar los correctos.

CARRERA DEL RABO DE CALCETIN

Prepare varios rabos de calcetín (un cinturón con un calcetín atado al mismo y con una naranja en la punta del calcetín); haga uno por cada equipo. La primera persona en cada equipo se pone ese rabo con el calcetín colgando desde su trasero. Se coloca otra naranja sobre el piso. A la señal, el jugador debe empujar la naranja por el piso con el rabo del calcetín hasta una meta, y regresar. Si la toca con sus pies o las manos, debe empezar de nuevo. El primer equipo en el cual todos sus miembros hayan completado esta tarea, gana.

CARRERA ABSORBENTE

Los equipos hacen fila. Cada persona tiene una pajilla para beber. Los participantes deben levantar un pedazo de papel (de unos 8 cms. cuadrados) succionándolo con la pajilla, llevarlo así hasta la meta y regresar. Si el papel se cae, el jugador empieza de nuevo. El primer equipo en terminar gana.

CARRERA DEL DEDAL

Los equipos forman una fila y cada jugador tiene una pajilla que sostiene hacia arriba con su boca. Se coloca un dedal sobre la pajilla sostenida por la primera persona en la fila. Entonces se lo pasa de jugador a jugador por medio de la pajilla. El primer equipo que logre pasar el dedal hasta el final de la fila es el ganador.

ENHEBRE LA AGUJA

Los equipos hacen fila y cada uno obtiene una cucharita helada (recién sacada del congelador) con un trozo muy largo de piola amarrada a ella. El objetivo es ser el primer equipo en enlazar a todo el grupo haciendo pasar la cucharita por debajo de la ropa de cada uno, desde el cuello hasta el tobillo. Cada miembro del equipo debe hacer que la piola avance mientras se va moviendo la cucharita, lo cual requiere mucho trabajo de equipo.

CARRERA DE TRES PIERNAS

He aquí otro viejo favorito. Dos jugadores de cada equipo se paran lado a lado y se atan juntas sus dos piernas más cercanas. Entonces corren hasta la meta y regresan.

CARRERA DE P. H.

Se da a cada equipo un rollo de papel higiénico. El equipo debe dividirse por la mitad, con una mitad en un extremo del área de juego y la otra en el extremo opuesto. La primera persona de la fila pone el rollo de papel higiénico sobre el piso y empieza a desenrollarlo empujándolo con su nariz. Cuando llega a la primera persona de la otra mitad del equipo, entonces ésta gira el rollo y empieza a empujarlo de regreso y así siguen hasta que todo el rollo esté desenrollado. El primer equipo que termine de desenrollar el papel es el ganador.

CARRERA DE PATOS

En esta carrera, los jugadores de los equipos compiten llevando una moneda pequeña entre sus rodillas. Deben lograr echar la moneda en una botella de leche o un frasco colocado a unos cinco metros de distancia, sin usar las manos. Si la moneda se le cae en el camino, el jugador debe comenzar de nuevo.

CARRERA DE CAMINATA DE PATOS

Esta carrera requiere una buena coordinación, pero cualquiera puede hacerlo. Los jugadores deben caminar hasta la meta y volver, con un globo sostenido entre sus rodillas y un vaso o taza de agua balanceada sobre su cabeza. Si el globo se revienta o cae o la taza de agua se cae, el jugador debe empezar de nuevo.

CARRERA DE CARRETILLAS

Esta es una variación de la antigua carrera de carretillas donde el Jugador A hace de carretilla caminando sobre sus manos mientras el Jugador B usa los pies del A como manijas y simplemente corre detrás de él. En este juego, básicamente se hace lo mismo, pero para añadir dificultad, el Jugador A debe empujar una pelota de voleibol por el piso con su nariz.

CARRERA DE LA CARRETILLA HAMBRIENTA

Este juego es como el anterior, sólo que se empuja la carretilla por una pista de cosas comestibles, como uvas, caramelos blandos, etc. La "carretilla" debe comer cada cosa que encuentre en el camino.

CARRERA DE LA CARRETILLA LOCA

Esta carrera requiere de una o más carretillas verdaderas. Los miembros de cada equipo forman parejas, con una persona que empuja la carretilla y la otra sentada en ella. Deben viajar alrededor de la meta y regresar. Sin embargo, el conductor de la carretilla va con los ojos vendados y la persona sentada en ella debe darle las instrucciones.

8
JUEGOS TRANQUILOS

Todos los juegos en este capítulo están diseñados para usarse con grupos en un espacio limitado, como la sala de una casa, y requieren relativamente poca actividad física. Son ideales para fiestas o para "calentamiento" antes de una reunión o actividad.

También se incluyen en este capítulo juegos de pensamientos o palabras que requieren preguntas y respuestas. Los juegos de mesa se realizan normalmente alrededor de mesas pequeñas. Además, hay juegos de lectura de la mente los cuales requieren cierta gimnasia mental para imaginarse cómo desarrollar el juego.

AÑADA UNA LETRA

Este juego funciona mejor con un grupo de quince personas o menos. El grupo se sienta formando un círculo. Una persona empieza a deletrear una palabra, diciendo una letra. La siguiente persona añade otra letra, cada una tratando de añadir una letra sin completar la palabra. Una persona obtiene un punto en su contra (posiblemente puede marcarlo en su mano con cualquier clase de marcador) cuando accidentalmente termina una palabra o está forzada a decir la última letra en una palabra. La persona que obtiene cinco marcas queda afuera del juego. Una persona puede disimular una letra (realmente no tiene una palabra en mente) cuando parece que está forzada a terminar una palabra. Si la siguiente persona piensa que está fingiendo, puede desafiarlo. Si confirma que la persona está engañando, el engañador obtiene una marca. Si la persona desafiada puede dar la palabra que tenía en mente, entonces el desafiante recibe la marca. El ganador es la última persona que queda en el juego. Todas las palabras deben ser legítimas, verificables en un buen diccionario.

COMPETENCIA ANIMAL

Para este juego, entregue a todos una hoja de papel y un lápiz. Entonces haga escribir a todos el mismo nombre como título de la hoja con cada letra encabezando una columna, así:

C	A	R	L	O	S

Luego el líder dice: "animal" y cada jugador empieza a escribir nombres de tantos animales como pueda en cada columna, de manera que la primera letra del animal corresponda a la letra de esa columna (por ejemplo, OSO en la O). Después de un límite de tiempo establecido (normalmente son suficientes dos minutos) el líder pide que cada uno lea la lista de todos los animales en cada columna y hace una lista maestra. Los jugadores reciben puntos por cada animal escrito, más un punto extra por cada animal que no figura en la lista de alguien más. Se pueden usar varias categorías de listas, como flores, vegetales, árboles, ciudades o países.

JUEGO DEL POBRE INOCENTE

Al principio de una fiesta o reunión especial, entregue a todos los presentes una tarjeta con una instrucción escrita allí. La instrucción es una broma de "Pobre Inocente" que deben jugarle a alguien antes de que se acabe la fiesta. Por ejemplo, "Dígale a alguien que tiene un bicho en su espalda" o "Dígale a alguien que hay una llamada telefónica para él". Si la persona cae en la broma (se mira atrás o va hasta el teléfono) entonces esa persona ha sido oficialmente engañada y queda fuera del juego. La idea es evitar ser engañado pero engañar a tantos otros como sea posible. Revise al final de la fiesta cuántas personas fueron engañadas, quién engañó a más personas, etc. Este juego se desarrolla mejor cuando hay suficiente tiempo y ocurren varias cosas a la vez. ¡Es divertido!

ASESINATO

He aquí un buen juego mental que es muy divertido. Va a necesitar dos líderes o árbitros. Los líderes dividen al grupo en dos equipos y explican que cada uno representa un país. En cada país, todos son fieles ciudadanos, excepto una persona quien secretamente será un espía del país enemigo.

Entonces los dos países se van a cuartos separados, donde no puedan ser oídos por el país enemigo. Allí cada uno debe escoger a un rey, quien será desconocido por los enemigos. Después de escoger al rey, también se seleccionará a un espía entre los miembros de ese país, por voto secreto para que los miembros no sepan quién es el espía enemigo. Para escoger este espía, cada líder hará que todos los miembros de un país, excepto el rey, retiren de una bolsa un papel, lo miren y se lo devuelvan al líder para que lo vea. Todos los papeles, excepto uno, tendrán escrito: "Leal". El otro dirá: "Espía".

Mientras los países están todavía separados, los dos líderes se cambian de cuarto y le dicen a cada país el nombre de su espía en el otro equipo pero no el nombre del rey del otro país. Entonces los dos países regresan al mismo salón. El objetivo es que cada país encuentre, a través de su espía, quién es el rey del otro país y lo asesine. El asesinato se hace "acuchillando" al enemigo con un dedo, en su espalda solamente, o con cualquier otro método que escoja. Si por error asesinan a alguien que no es el rey, pierden el juego.

Cada equipo conoce a su espía, pero no saben cual de sus propios miembros es el espía enemigo. Si lo pueden encontrar, pueden asesinarlo también. De todas maneras, si asesinan a uno de sus miembros fieles, pierden el juego.

Los espías pueden usar cualquier método que deseen para decir a sus amigos del otro equipo quién es el rey. Pero los espías deben ser sutiles por temor a dar su identificación y ser asesinados. De igual modo, los miembros de su país deben ser cuidadosos en mantener en secreto quién es el espía entre ellos. El país que asesina primero al rey del otro país es el ganador.

¡BANG! TE MATE

Este es un juego donde el líder sabe el secreto y el resto del grupo trata de adivinar cómo es el procedimiento. Asegúrese de que el grupo entienda que es posible saber inmediatamente a quién se le disparó, pero tienen que imaginarse cuál es el secreto. Todos deben estar sentados alrededor de la sala en una manera casual, con el líder al frente. Después de que todos están callados, el líder alza su mano y, apuntando al grupo en general como si fuera una pistola, dice: "Bang, te maté". Entonces él pregunta "¿A quién disparé?" Es difícil definir a la persona a quien se señaló. Varias personas tratarán de adivinar y la mayoría estará equivocada. Entonces el líder anuncia quién fue. El líder continúa disparando a la gente, pero cambia el blanco cada vez.

Y ahora, ¿cuál es el secreto? La persona a quien se realmente se le disparó es la primera que habla después de que el líder haya dicho: "Bang, te maté". Tarde o temprano, alguien adivinará o tal vez el líder lo hará un poquito más obvio. Es divertido y también frustrante.

MUERDE LA BOLSA

Coloque una bolsa grande de papel en la mitad del piso y pídale a todos que se sienten en un círculo amplio alrededor de ella. De uno por vez, cada persona se acercará a la bolsa, tratará de prenderla con sus dientes (sólo las plantas de sus pies pueden tocar el piso) y luego se parará. A medida que juegan, usted observará que casi todos pueden hacerlo. Después de que todos hayan tenido su turno, corte o doble hacia abajo dos a cuatro cms. de la bolsa. Jueguen de nuevo. Con cada vuelta, reduzca el tamaño de la bolsa. Cuando una persona ya no pueda prenderla y pararse, quedará fuera. El ganador será la persona que puede recogerla sin caerse.

ROTACION DE MESAS DE JUEGO

Esta es una buena manera de planear una noche con juegos de mesa sin estar aburridos. Arregle pequeñas mesas en un círculo con un juego diferente de tablero para dos personas en cada mesa. Ponga las sillas en dos lados de la mesa con la mitad de las sillas cara afuera y la otra mitad cara adentro, hacia el círculo.

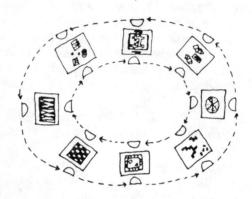

Todos se sientan. Los juegos comienzan y acaban cuando suena el silbato (después de unos cinco minutos). Ambos círculos rotan a su derecha, así cada persona se mueve a un juego diferente. Los juegos no se vuelven a acomodar, sino que los nuevos jugadores siguen desde donde lo dejaron los anteriores. De este modo una persona puede pasar de ser un ganador en el juego de damas a una posición de perdedor en el ajedrez.

Cada juego vale cierta cantidad de puntos y se les asignan al círculo (o equipo) que gana; luego, los juegos empiezan de nuevo. Este juego es efectivo para mezclar a las personas ya que todas juegan contra casi todas los demás.

He aquí algunos otros consejos: los grupos grandes necesitan varios círculos. Los juegos que requieren cuatro personas pueden ser usados, pero se necesitará establecer una rotación más compleja. Use juegos que sean conocidos por todos o juegos que sean fáciles de enseñar al principio.

ZUMBIDO

Para este juego, el grupo debe estar sentado en un círculo. Empiecen a contar rítmicamente en el círculo desde uno a cien. Cuando alguien llega a un número conteniendo el siete o un múltiplo de siete, éste dice "Bizz", en vez de ese número. Por ejemplo, dirá: 1, 2, 3, 4, 5, 6, bizz, 8, 9, 10, 11, 12, 13, bizz, 15, 16, bizz, 18, 19, 20, bizz, 22, etc. Tiene que mantenerse en ritmo y si comete un error o hace una pausa larga, queda fuera o debe ir al final del círculo.

Una alternativa es usar el número cinco en vez de siete en el mismo proceso. Este juego es más fácil para los jovencitos. Para hacerlo más complicado puede combinarlo, jugando "fizz" (para cinco) y "bizz" (para siete). Entonces sonaría así: 1, 2, 3, 4, fizz, 6, bizz, 8, 9, fizz, 11, 12, 13, bizz, fizz, 16, bizz, 18, etc.

CHARADAS

El antiguo juego de charadas es siempre un favorito de los grupos pequeños en el ambiente de una sala. Divida el grupo por la mitad y haga que cada mitad escriba nombres o títulos (de libros, películas, canciones, etc.) en trozos de papel para que la otra mitad los teatralice, o téngalos preparados de antemano. Mezcle los papeles en una gorra o sombrero. Entonces, cada jugador saca un título de la gorra y se lo da al otro equipo para que ellos hagan la pantomima. Señale un controlador de tiempo para cada equipo y establezca un límite de tiempo de tres minutos para cada jugador. El equipo que adivine en menos tiempo es el ganador. He aquí algunas otras variaciones:

1. CHARADAS DE ARTE: Esta es como las charadas normales, sólo que cada lado recibe un bloque de papel de dibujo y un marcador. Cada jugador dibuja su canción, libro, o título de la película (sin usar ninguna letra, número o palabras) y trata de que su equipo adivine lo que está dibujando. Este es un buen juego para la Navidad, usando canciones y villancicos de Navidad.

Puede hacer que el juego sea más activo y rápido haciendo dos conjuntos de veinte títulos y dando un conjunto a cada equipo. A la señal, un jugador de cada equipo saca un título de la gorra y se mantienen dibujando hasta que su equipo lo adivine. Entonces el siguiente jugador rápidamente selecciona un título y así continúa hasta que todos los veinte títulos hayan sido adivinados. El equipo que adivine primero los veinte títulos es el ganador.

2. CHARADAS DE OCUPACIONES: Cada jugador trata de hacer la pantomima de una ocupación o ambición particular. Haga una lista de algunas ocupaciones originales como cantante de rock, Miss Universo, astronauta, limpiador de chimeneas, entrenador de elefantes, etc.

MEZCLA DE BARRAS DE CHOCOLATE

Este es un juego fantástico para grupos de seis a diez personas. Ponga una barra de chocolate en el centro de una mesa. La golosina debe permanecer en su envoltura y, para hacer demorar el juego, podría envolverlo también en papel de regalo. Cada persona sentada alrededor de la mesa toma un turno para arrojar un dado. La primera persona que saca el seis, empieza comiendo la barra, —pero: *sólo* después de que se ponga un par de guantes, una gorra y una bufanda, *sólo* después de que corra una vez alrededor de la mesa y *sólo* con un cuchillo y tenedor.

Mientras él se está preparando (según las instrucciones anteriores) para comer la barra de chocolate, el grupo se mantiene tomando turnos para arrojar el dado. Si alguien saca un seis, entonces la persona que sacó seis antes renuncia a su derecho de comer la barra y la segunda persona debe tratar de comerse el chocolate antes de que alguien más saque un seis. El juego se acaba cuando toda la barra es devorada o cuando todos se caigan al suelo de cansancio.

LINEA DE CONFUSION

La gente se sienta en un semicírculo (como una herradura). La persona de la punta toma un lápiz, se lo entrega a la segunda persona y le dice: "este es un lápiz". La segunda persona dice: "un ¿qué?", y la primera repite "un lápiz". La segunda pasa el lápiz a la tercera persona y dice: "este es un lápiz", y la tercera dice: "un ¿qué?" La segunda repite "un lápiz", y así sigue hasta el final del semicírculo. Lo difícil es que, al mismo tiempo, usted entrega una cosa diferente desde la otra punta de la línea. Cuando se encuentran en la mitad se produce un verdadero caos.

RATON

Este es un juego rápido en el que no sólo los jóvenes se divierten, sino que también acaban por conocerse bien con casi todos en el grupo cuando se termina el juego.

Número en el dado	Puntos
1 — Cabeza	= 1
2 — Cuerpo	= 2
3 — Ojos	= 6
4 — Orejas	= 8
5 — Rabo	= 5
6 — Patas	= 36

Tenga listas varias mesas pequeñas con un par de dados por mesa, una buena cantidad de tarjetas de puntaje (vea el ejemplo) y dos lápices. Antes de que todos lleguen, arregle las mesas en un círculo grande o en una forma que permita el movimiento desde la mesa con el número más bajo hasta la del más alto. Las mesas deben estar numeradas consecutivamente considerando la mesa no. 1 el número más alto. Después de que la gente llegue, asegúrese de que todas las mesas estén completas y quite las sobrantes. Dé a cada persona una tarjeta de puntaje y hágale escribir su nombre en la esquina superior derecha. El juego tiene diez vueltas en total. Al inicio de cada vuelta, la gente sentada frente a la otra es automáticamente compañera para esa vuelta solamente. Los compañeros entonces intercambian las tarjetas de puntaje al principio de cada vuelta para dibujar el ratón para el otro mientras éste tira el dado. Cada mesa empieza a jugar al mismo tiempo. Cada persona tiene su turno para tirar el dado tan pronto como sea posible. Los números en el dado corresponden a las partes del cuerpo del ratón (vea la tarjeta de puntaje). Así, se debe sacar primero un no. 2 antes de que otra parte del cuerpo pueda ser dibujada. Si la persona saca un número que puede usar, continúa tirando el dado hasta que le salga un número que no puede usar y pasa el dado a la siguiente persona. Cuando alguien ha sacado todos los números necesarios para terminar su ratón, entonces aprovecha su turno para tirar por su compañero. Cuando ambos compañeros hayan completado sus ratones, gritan: "Ratón" y la vuelta se acaba. El juego se detiene en todas las mesas, no importa cuanto hayan avanzado los demás.

Todos los compañeros se cambian la tarjeta de puntaje y tienen sesenta segundos para sumar el total y pasar a la siguiente mesa, si es necesario. El movimiento entre las vueltas es como sigue: La persona con el puntaje más alto en cada mesa se pasa a una mesa con un número más alto (por ej. no. 4 al no. 3). La gente con el puntaje más bajo en cada mesa permanece allí. (Excepción: Los ganadores en la mesa no. 1 se quedan y los perdedores en la misma mesa se pasan a la última.) Nadie puede jugar con el compañero que tuvo en la vuelta anterior. El Gran Ratón (ganador) es la persona con el puntaje más alto al final de las diez vueltas.

JUEGO CONTAGIOSO

La gente se para o se sienta en un círculo, para que se puedan ver. La persona en un extremo empieza describiendo su dolencia. Por ejemplo puede decir: "Mi ojo derecho tiene un tic", y todos en el grupo empiezan a pestañear su ojo derecho. La siguiente persona puede decir: "Mi pie izquierdo salta" o "tengo una tos perruna", y todos tratan de hacer lo que dice. Después de que algunas personas compartan sus dolencias, todos deben estar saltando, pestañeando, tosiendo, estornudando y divirtiéndose.

CORTE EL PASTEL

Llene un pequeño recipiente con harina y apriétela bien. Póngalo boca abajo sobre una bandeja grande. Saque el recipiente y deje sólo la harina moldeada. Ahora ponga una cereza, frutilla u otra fruta pequeña y liviana encima. El grupo se reúne alrededor del pastel y uno por vez toma una cuchara y "corta el pastel" sacando una porción del tamaño que prefiera. La cuchara pasa de uno a otro por todo el círculo. Mientras más se corta el pastel, más se acerca la persona a la fruta de encima. Quien saque la porción que haga caer la fruta debe recogerla con sus dientes (sin las manos) y comérsela.

DICCIONARIO

Diccionario puede jugarse con cualquier número de personas. Todo lo que se necesita es un diccionario y un lápiz, más una tarjeta de 6 x 10 cms. para cada jugador.

Una persona busca una palabra en el diccionario que cree que nadie la sabe. Entonces le pregunta al grupo si alguien sabe la definición (para estar seguro de que nadie la sepa). Luego copia la definición correcta en una tarjeta de 6 x 10 y después pide a cada jugador que escriba una buena definición de la palabra en su propia tarjeta y la firme.

Todas las supuestas definiciones se recogen y se leen al grupo junto con la correcta, la cual está mezclada con las demás. El objetivo es adivinar cuál es la correcta. Se da un punto a cada jugador que adivine la definición correcta. También se otorga un punto a cada jugador por cada persona que cree que su definición (equivocada) es la correcta. La persona que escoge la palabra original obtiene cinco puntos si nadie acierta la respuesta correcta.

ELEFANTE, RINOCERONTE Y CONEJO

Los jugadores se sientan en un círculo muy cerrado con una persona "clave" en el medio. La "clave" señala a alguien en el círculo y dice ya sea "elefante", "rinoceronte" o "conejo". La persona señalada debe poner sus manos detrás de su espalda para "conejo", poner sus puños uno frente de otro, sobre su nariz para "elefante" o debe poner ambos puños sobre su nariz con los dedos índice apuntando hacia arriba para "rinoceronte". Las dos personas en ambos lados del jugador señalado deben poner una mano abierta hacia la "clave" en la cabeza del jugador para "elefante" (como las orejas del elefante). Para rinoceronte deben poner un puño sobre la cabeza del otro (como las orejas del rinoceronte). Para "conejo" deben poner un puño sobre la cabeza del otro con un dedo apuntando hacia arriba (como las orejas del conejo). Todo esto debe hacerse antes de contar hasta diez. Si una de las tres personas falla en hacer su parte, entonces se convierte en la "clave".

LA PALABRA SIN FIN

El grupo forma un círculo. El primer jugador dice una palabra y luego cuenta hasta cinco a una velocidad moderada. Antes de llegar a cinco, el jugador a su derecha tiene que decir otra palabra que empiece con la última letra de la palabra que se acaba de decir y así continúan alrededor del círculo. No se permite a nadie repetir una palabra que ya haya sido dicha. Se cuenta una falta si el jugador no puede pensar en una palabra antes de que el otro jugador diga "cinco". A las dos faltas (o una si es un grupo muy grande) el jugador queda fuera. Si hace la primera falta, el jugador empieza de nuevo con cualquier palabra. Si nadie queda afuera haga que el jugador cuente más rápido hasta cinco; si todos quedan fuera hágale que cuente hasta diez o quince. Este juego es entretenido y pronto descubrirá quién hace quedar fuera a más personas a su lado.

PLUMA INCONSTANTE

Extienda una sábana sobre el piso. Los jóvenes se arrodillan alrededor de la sábana por los cuatro lados, después la toman por los bordes y la levantan tensa, sosteniéndola debajo de su mentón. Se coloca una pluma sobre la sábana y los jóvenes soplan la pluma para alejarla de su lado. Hay un equipo a cada lado de la sábana y si la pluma toca a uno de los miembros del equipo o pasa sobre sus cabezas, ese equipo recibe un punto. El equipo con menos puntos es el ganador.

DEDOS ARRIBA

Las personas buscan su pareja y se ponen uno frente al otro con sus manos detrás de sus espaldas. Al contar hasta tres, se ponen ambas manos frente a sus caras mostrando cierto número de dedos en cada mano. Un puño cerrado significa cero en esa mano. La primera persona de cada pareja en decir el número total de dedos mostrados entre las cuatro manos gana el juego.

Después de que todos lo hayan hecho, los perdedores se sientan sobre el piso y todos los ganadores se emparejan de nuevo y juegan entre ellos. Así continúan hasta que haya un campeonato entre los dos finalistas. Este juego requiere pensar rápido y es muy divertido.

MERCADO NEGRO

Este es un buen juego para una fiesta. Necesitará preparar por adelantado un gran número de papelitos de dos centímetros cuadrados, todos de diferentes colores, algunos con números escritos en ellos. Estos estarán escondidos por toda la sala. A la señal, todo el grupo busca los papeles y tan pronto como los encuentren, empiezan a cambiárselos entre ellos, tratando de adquirir los colores que creen que valen más. El valor de los colores es desconocido por los jugadores hasta que el intercambio se acabe. Entonces, anuncie los valores y quienquiera que tenga más puntos gana.

Colores: Blanco = 1 punto   Números: 7 = añada 50 puntos
        Café = 5 puntos   11 = doble el puntaje
        Verde = menos 5 puntos   13 = quite 50 puntos
        Azul = 2 puntos   15 = añada 1 punto
        Rojo = 10 puntos   etc.

ADIVINE LOS INGREDIENTES

He aquí un juego sencillo de acertijo para sus jóvenes. Copie los ingredientes de algunas cosas comunes de su alacena o refrigerador. Pase la lista a sus jóvenes y hágales adivinar de qué artículo se trata. Aquí hay un par de ejemplos:

1. Aceite de soja, huevos, vinagre, sal, agua, azúcar y jugo de limón (mayonesa).

2. Tomates, vinagre, endulzador de maíz, sal, cebolla y especies (salsa de tomate).

AYUDE A SU VECINO

Este es un sencillo juego de naipes que a todos les gusta jugar. Se necesita un mínimo de cuatro personas para jugar y no hay un máximo. Si tiene mucha gente, haga funcionar varios equipos al mismo tiempo. Necesitará un juego de naipes comunes (o algún otro tipo de cartas enumeradas) por cada cuatro personas que jueguen.

Todos reciben un juego completo (el de corazones, el de espadas, etc.) de los números dos hasta el doce (la Sota es once y la Reina es doce). El Rey y el As no se usan. Los naipes deben ser esparcidos cara para arriba enfrente de cada persona.

El primer jugador (no importa quien empieza) toma un par de dados y los arroja. Cualquiera que sea el número que salga, el jugador entonces da vuelta la carta correspondiente. Por ejemplo, si el total de los dados suma siete, entonces el jugador voltea la carta con el número siete.

El jugador sigue tirando los dados mientras puede seguir volteando cartas. Puede, sin embargo, voltear los naipes del jugador a su izquierda para mantener su turno vivo, ("ayude a su vecino".) Su turno continúa hasta que no pueda voltear ninguna carta de su mano o de sus vecinos. El juego se termina cuando un jugador haya volteado todos los naipes.

ESCONDA LA PRESA

Haga dos billetes falsos de un millón de dólares y entregue cada uno a uno de los miembros de dos equipos. Después de que un equipo salga de la sala (los agentes del tesoro), haga que el otro equipo (los falsificadores) seleccionen un lugar para esconder el billete falso.

Se invita a volver a los agentes del tesoro quienes harán preguntas que sólo puedan responderse con "sí" o "no". Cada agente puede hacer tantas preguntas como desee; sin embargo, las preguntas deben ser dirigidas a un falsificador específico quien debe responder honradamente. Se puede preguntar acerca de cómo fue escondido el billete y lo que toca ese billete en el lugar escondido, no acerca del lugar específico. Por ejemplo, puede preguntar: "la persona que escondió ese billete, ¿tuvo que pararse en la punta de los pies o sobre una silla para alcanzar el lugar secreto?" No se permite a los agentes caminar alrededor de la sala durante su interrogatorio.

Cuando un agente decide adivinar el lugar secreto, debe anunciar que va a hacerlo. Si no acierta, queda eliminado del juego. Después de adivinar el lugar secreto, los equipos cambian de papel y el juego continúa.

El objetivo del juego es eliminar a todos los agentes o mantenerlos preguntando. Si un equipo puede eliminar a todos los agentes y el otro equipo no puede cuando cambian de papeles, entonces el primero es el ganador. De otro modo, el ganador es aquel equipo que obliga al otro a preguntar más antes de que el lugar secreto sea adivinado.

PAPA CALIENTE

Necesita una papa y un reloj con alarma. Ponga la alarma para que suene después de 15 segundos de que haya empezado el juego. El objetivo del juego es pasar la papa "caliente" de uno a otro en el grupo sin que suene la alarma cuando usted la sostiene. Debe anunciar dos reglamentos: no tirar la papa y no negarse a aceptarla cuando se la pasan. Es muy divertido con grupos pequeños de cualquier edad. Puede usarlo como un juego de eliminación, teniendo a los perdedores fuera del juego (pueden cambiar de posición) hasta que queden dos personas y se declare finalmente el ganador. Una variación es usar la papa "caliente" para seleccionar voluntarios para otras actividades.

¿COMO ESTA EL SUYO?

Para este juego, todos deben sentarse alrededor de la sala y se le pide a un jugador que salga. Mientras él está fuera, el grupo escoge un sustantivo (como zapato o trabajo) para ser adivinado por el ausente. Cuando regresa pregunta: "¿Cómo está el suyo?" a cualquiera que escoja. Esta persona debe responder con la verdad (con un adjetivo será suficiente), describiendo el sustantivo misterioso. Por ejemplo, si el sustantivo es *auto*, alguien puede responder "viejo" o "caro". El jugador trata de adivinar el sustantivo después de cada adjetivo hasta encontrar el correcto. La última persona que mencione un adjetivo antes de ser adivinado el sustantivo correcto, llega a ser el nuevo jugador.

TRIPA DE HIERRO

Si tiene personas audaces o atrevidas en su grupo, trate esta competencia. Prepare un brebaje usando de 15 a 25 ingredientes (vea el ejemplo de la lista siguiente) encontrados en cualquier cocina y anotándolos cuidadosamente. En la reunión, pida algunos voluntarios que sean la tripa de hierro. Si los equipos ya están formados, escoja uno o dos de cada uno.

salsa de tomate	vinagre
mostaza	jugo de naranja
rábano	mayonesa
canela	colorante
comino	orégano
ajo	bicarbonato de soda
leche	pimienta
salsa	salsa picante
limón	salsa de soja
cebolla	sal

Aquellos que son lo suficientemente valientes aceptarán el desafío de turnarse para probar el brebaje. El ganador es la persona que pueda identificar la mayoría de los ingredientes usados. ¡Cuidado con la persona que pide una segunda vuelta!

JUEGO DEL MAPA

Para este juego, consígase varios mapas idénticos de su estado, provincia, o país y dibuje con anticipación un número grande, letra o símbolo (como el número ocho) en el mapa suyo. Haga una lista de todas las ciudades y pueblos por los cuales cruza el dibujo o están cerca. Divida a la gente en grupos pequeños y dele a cada grupo un mapa y la lista de los pueblos. A la señal deberán localizar los pueblos y saber (yendo punto por punto) qué forman los pueblos al conectarlos con una línea. No se permite arriesgar ya que una adivinanza incorrecta los descalifica. El primer grupo con la respuesta correcta gana.

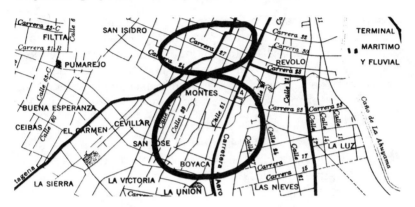

CONCORDANCIA

Divida el grupo en dos o más equipos de igual número. Cada equipo elige su propio capitán quien va al frente del salón con los demás capitanes. Todos, incluyendo los capitanes de equipo, deben tener varias hojas de papel y lápices.

Entonces el líder hace una pregunta al grupo entero (vea los modelos de preguntas a continuación). Todos, sin discutir entre sí, escriben su respuesta en un papel y lo pasan al capitán del equipo, quien también ha escrito una respuesta. Cuando están listos, los capitanes anuncian sus respuestas y se otorga un punto a cada equipo por cada contestación que concuerde con la de su capitán. He aquí algunos ejemplos de preguntas, pero siéntase libre de hacer las suyas propias:

1. Si tuviera que volver a pintar esta sala, ¿de qué color lo haría?
2. ¿Cuál país del mundo le gustaría visitar?

3. Mencione su programa favorito de televisión.
4. Elija un número entre el uno y el cinco.
5. ¿Cuál libro de la Biblia habla más de las buenas obras?
6. ¿Cuál es la mejor manera de divertirse en esta ciudad?
7. ¿Cuál es la palabra más chistosa en que ahora puede pensar?
8. ¿Cuántos hijos cree usted que tendrá?

JUEGOS DE LEER LA MENTE

Los siguientes juegos de leer la mente son básicamente parecidos. Hay por lo menos dos personas quienes saben la clave (saben cómo realizar el juego), mientras los demás deberán encontrar el secreto que el "lector de la mente" y el líder usan para desarrollar el truco. Puede mantener el juego hasta que la mayoría del grupo sepa el secreto o hasta que usted decida revelarlo.

1. MAGIA NEGRA: Mientras el "lector de la mente" está fuera de la sala, el grupo elige cualquier objeto de la misma. El lector de la mente regresa y el líder apunta a diferentes objetos. Cuando él apunta al escogido, el "lector de la mente" lo identifica correctamente.

He aquí cómo se hace: El objeto escogido es señalado inmediatamente después de haber apuntado a un objeto negro. El nombre de este juego puede ayudar a descubrir la clave.

2. MAGIA DE LIBRO: Se colocan varios libros en fila. Uno de ellos es señalado para que lo adivine el "lector de la mente" cuando vuelva a la sala. El líder apunta a varios libros (aparentemente al azar) y cuando apunta al libro correcto, el "lector de la mente" lo identifica.

He aquí cómo hacerlo: El libro escogido siempre sigue a cualquier libro señalado que esté al final de la fila.

3. VELA: Mientras el "lector de la mente" está fuera de la sala, el grupo escoge un objeto. El lector de la mente regresa y se le muestran cuatro objetos. Uno de los cuatro es el correcto. El lector de la mente deberá escoger correctamente el objeto seleccionado.

He aquí cómo se hace: El líder llama al "lector de la mente", para que éste vuelva a la sala con una frase que empieza con cualquiera de las letras "V" "E" "L" o "A". Por ejemplo: "Venga", "Empiece", "Listo" o "Adelante". La letra "V" indica el primer objeto apuntado, la letra "E" representa el segundo objeto, la "L" significa el tercer objeto y la "A" representa el cuarto. Así cuando vuelve el "lector de la mente" a la sala, sabrá exactamente cuál objeto será el primero, el segundo, el tercero o el cuarto.

4. CUCHILLO, TENEDOR Y CUCHARA: En este juego, el "lector de la mente" sale de la sala y el grupo escoge a alguien en la sala para ser la persona misteriosa. Entonces, el líder toma un cuchillo, un tenedor y una cuchara ordinaria y los arregla en el piso de algún modo. Cuando regresa el lector de la mente, mira a los cubiertos e identifica correctamente a la persona misteriosa.

He aquí cómo hacerlo: Realmente no tiene nada que ver con los cubiertos. El líder sólo los usa como una táctica para confundir. Después de acomodar el cuchillo, el tenedor y la cuchara, el líder toma asiento exactamente de la misma manera que la persona misteriosa. Si la persona misteriosa se sienta cruzada de piernas en el piso con una mano sobre su falda, el líder se sienta exactamente del mismo modo. Si la persona misteriosa cambia de posición, así lo hace el líder. El "lector de la mente" sólo combina la persona misteriosa con la manera como el líder se sienta. Mientras tanto, todos tratan de descubrir cómo el arreglo del cuchillo, tenedor y cuchara puede ser la clave.

5. NUEVE REVISTAS: Se ponen nueve revistas sobre el piso en tres filas de tres. El "lector de la mente" sale de la sala y el grupo selecciona una revista para que éste la identifique cuando

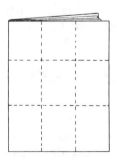

vuelva. Cuando regresa, el líder, usando algún tipo de puntero toca varias revistas en cualquier orden y cuando toca la correcta, el "lector de la mente" la identifica.

He aquí cómo hacerlo: El líder toca la primera revista, en uno de los nueve lugares posibles. El lugar donde el líder ponga su puntero en esa primera revista, determina la localización de la revista seleccionada en las tres filas de tres. Después de apuntar la primera revista, el líder puede señalar a cuantas otras quiera antes de indicar la correcta porque el "lector de la mente" ya sabrá cuál es la revista.

6. ROJO, BLANCO Y AZUL: Este es parecido a MAGIA NEGRA, sólo que es más confuso y casi imposible de descubrir si no se sabe cómo hacerlo. La primera vez, el "lector de la mente" trata de adivinar el objeto escogido, el cual sigue inmediatamente a un objeto rojo. La siguiente vez sigue a un objeto blanco y la tercera vez a uno azul. Simplemente rota del rojo al blanco, al azul, etc.

7. HUELE LA ESCOBA: El líder sostiene una escoba horizontalmente frente a él y alguien en el grupo se acercará y señalará cierta parte particular del mango de la escoba. El "lector de la mente" entra a la sala y huele la escoba, olfateando de arriba abajo el palo hasta parar finalmente en el lugar correcto. Todos piensan que el "lector de la mente" tiene un sentido increíble del olfato.

He aquí cómo se hace: Mientras el "lector de la mente" está oliendo la escoba, él realmente está observando los pies del líder. Tan pronto como la nariz del "lector de la mente" llega a la parte señalada del palo de la escoba, el líder mueve sus pies tan débilmente que no es detectado por el grupo. (El líder debe llevar zapatos.)

8. MOVIMIENTO DEL ESPIRITU: En este juego, el líder pone su mano sobre la cabeza de una persona misteriosa en la sala, mientras el "lector de la mente", quien está fuera, identifica a esa persona correctamente.

He aquí cómo hacerlo: Antes de empezar el juego, el líder y el "lector de la mente" acuerdan cuál será la silla especial en la que la persona misteriosa se sentará. Cuando empieza el juego, alguien se sentará en esa silla y esa persona será la primera en escogerse. Ambos, el líder y el "lector de la mente" notan a esta persona al dar las instrucciones al grupo. Entonces el lector de la mente sale de la sala, recordando quién estaba en esa silla especial. El líder hace mover a todo el grupo a otras sillas (todos deben cambiarse de silla cada vez). Después de que todos se hayan cambiado, el líder llama al "lector de la mente" (que está en el siguiente cuarto) y dice: "El espíritu se mueve". Comienza a mover su mano alrededor, sobre las cabezas de distintas personas hasta que finalmente se detiene sobre la cabeza de la persona que se sentó en la silla especial. El líder dice: "El espíritu descansa". El "lector de la mente" desde el otro cuarto, identifica a la persona misteriosa para sorpresa de todos. Entonces el "lector de la mente" entra a la sala para ver si ha nombrado a la persona correcta, pero él realmente está viendo a la persona que está *ahora* en la silla especial para la próxima vuelta.

9. ESCRITURA EN LA ARENA: Este es más complicado. El grupo selecciona una palabra secreta y el "lector de la mente" viene y puede adivinarla correctamente siguiendo una serie de claves del líder que el grupo tratará de descubrir. El líder sostiene un palo en su mano y parece escribir sus claves en la arena. Sin embargo, la escritura no parece tener sentido y no revela una relación obvia con la palabra secreta. Pero el "lector de la mente" puede adivinar la palabra en el primer intento.

He aquí cómo hacerlo: Las consonantes en la palabra (digamos que la palabra secreta es "luz") son L y Z. Estas son dadas al lector de la mente a través de una serie de claves verbales después de que entra al salón. Por ejemplo, el líder puede decir "Lee mis labios". La primera letra en la frase es "L". Eso daría la clave al "lector de la mente" que la palabra empieza con "L". Luego el líder dibuja en el suelo con el palo y en algún momento golpea 1, 2, 3, 4, 5 para corresponder a las vocales así:

"A" es un golpe, "E" son dos, "I" son tres, "O" son cuatro y "U" son cinco. Así, en este caso el líder golpeará el palo cinco veces para la "U". Ahora el lector de la mente tiene dos letras. La "Z" es dada con una clave verbal: "¿Zapatos blancos?" Tan pronto como el "lector de la mente" tiene suficientes letras para adivinar la palabra asombra al grupo identificando la palabra.

MI BARCO ZARPA

Todos se sientan sobre el piso (o en sillas). Para empezar a jugar, por lo menos dos o tres personas necesitan saber cómo es el juego. Explique que el objetivo del juego es descubrir, escuchando a aquellos quienes saben "con qué zarpa" su barco, "con qué zarpa" su propio barco. No todos los barcos zarpan con las mismas cosas. El líder inicia el juego tomando una toalla con un nudo en ella (o una pelota) y dice: "Mi barco zarpa con . . ." (y menciona algo que comience con sus iniciales). Por ejemplo, si su nombre es Juan Pérez, diría: "Mi barco zarpa con jugosas peras", (o juguetes preciosos, jocosos pantalones, etc.). Entonces lanza la toalla a otro jugador en la sala y él también debe decir: "Mi barco zarpa con . . . (?)". Si éste sabe como jugar, dirá algo que empiece con sus iniciales. Si no sabe cómo jugar, probablemente dirá algo que no comience con sus iniciales y debe *pararse* hasta que él *capte* cómo se juega y alguien le tire la toalla, así tiene otra oportunidad. Cuando diga lo correcto se sienta. La idea de este juego es ver cuánto demora la gente en descubrir el secreto. Para empezar el juego, usted necesita contarle el secreto por lo menos a un jugador.

ABIERTO O CERRADO

Este es un juego muy bueno para pequeñas reuniones informales donde la gente se sienta en un círculo y hace circular un libro (o un par de tijeras). Cuando se pasa el objeto, cada persona debe anunciar si lo está pasando "abierto" o "cerrado". Por ejemplo, puede decir "lo recibí . . . (abierto o cerrado) y lo paso . . . (abierto o cerrado)." El líder entonces le dice a la persona si está bien o equivocada. Si está equivocada, debe sentarse en el piso o pararse (o cualquier posición que se vea graciosa). La idea es aprender el secreto el cual es: si sus piernas están cruzadas, usted debe pasar el objeto *cerrado*. Si sus piernas no están cruzadas, debe pasar el objeto *abierto*. Suena sencillo, pero es realmente difícil descubrirlo.

JUEGO DE LOS PUNTOS

Entregue a todos una tarjeta de anotaciones. Luego lea una lista de treinta cosas, similar a la siguiente. Cada persona lleva el control de sus puntos como está especificado. La persona con más puntos gana.

1. Dese a usted mismo 10 puntos si viste de rojo.
2. Dese a usted mismo 10 puntos por cada centavo que tenga en su bolsillo.
3. Dese a usted mismo 10 puntos si tiene un peine blanco.
4. Calcule el tamaño de su zapato en puntos, las medias tallas se anotan como un punto más.
5. Dese a usted mismo 15 puntos si su compleaños es en un día festivo.
6. Dese a usted mismo 10 puntos si ha andado en un tren.
7. Dese 10 puntos si tiene un bolígrafo con usted, 25 puntos si tiene tinta roja.
8. Dese 10 puntos si lleva lápiz labial.
9. Quítese 10 puntos si usted es hombre y lleva lápiz labial.

S y T

Divida el grupo por la mitad. Un lado es la "S y T" y el otro lado "Todo lo Demás". Pídale a todos que se sienten y cuenten juntos como grupo del uno al veinte. Cada vez que digan un número que empiece con una "S" o una "T", la "S y T" se para. En todos los demás números, el "Todo lo Demás" se para. Por ejemplo, el "Todo lo Demás" se parará en "uno" y "dos" y el "S y T" se parará en "tres" y así sucesivamente. Empiecen lento, luego háganlo un poquito más rápido. Mientras más rápido cuenten, más difícil se pone.

Una variación es hacer que todos se sienten en círculo y empiecen uno por vez a contar del uno al veinte, luego comienzan en uno de nuevo, y así continúan. Cada vez que un jugador dice un número que empieza con "S o T", debe pararse antes de decirlo. Si no se para o interrumpe el ritmo, queda fuera del juego y éste continúa. Es muy confuso, pero divertido.

CUCHARAS O "BURRO"

Este juego es similar a las sillas musicales porque siempre alguien queda fuera. El grupo se sienta en círculo en el piso (o alrededor de una mesa pequeña). Para cada jugador, necesitará cuatro naipes del mismo juego (cuatro reyes, cuatro diez, etc.). Se colocan cucharas sobre el suelo, o sobre la mesa, en un número igual al de jugadores menos uno. (Si tienen seis jugadores, debe haber cinco cucharas.) Los naipes son barajados y se dan cuatro cartas a cada jugador. Después de que los jugadores hayan tenido la oportunidad de ver sus naipes, el que repartió dice: "ya" y cada jugador pasa una carta de su mano al jugador sentado a su derecha. Se mantienen pasando los naipes alrededor hasta que un jugador tenga cuatro de una clase en su mano. Entonces agarra una cuchara y todos los demás tratan de tomar una; sin embargo, hay una persona que no obtendrá una cuchara. Si el jugador quien alcanzó primero la cuchara lo hace suavemente, entonces pasará un buen rato antes de que los otros noten la falta de una cuchara y se lancen a tomar una de ellas.

Este juego puede realizarse con monedas en vez de cucharas y entonces se llama "Burro". Cada vez que alguien no alcance una moneda, obtiene una letra de la palabra "Burro". La primera persona que pierda cinco veces es el burro. Es muy divertido.

APESTA

Ponga una docena de cartones de leche numerados sobre una mesa con una cosa olorosa en cada uno. Cubra encima con un trapo, una media nylon o algo que esconda el contenido del cartón, pero que deje pasar el olor. Haga oler a todos y adivinar de qué es el olor escribiendo sus adivinanzas en un papel. Anuncie el ganador y cuáles son los olores después de la reunión.

He aquí algunos ejemplos:

Huevos podridos	Fertilizante
Amoníaco	Pasta dentífrica
Café	Pizza
Menta	Pintura
Rábano	Solvente
Un calcetín o pantalones	Esmalte de uñas
de gimnasia apestosos	Queso parmesano

HILO DE LA HISTORIA

El grupo se divide en dos o más equipos. Cada equipo elige su portavoz y obtiene una tarjeta con una frase disparatada escrita en ella (cuanto más disparatada mejor). Por ejemplo, "Catorce elefantes amarillos manejando un Volkswagen a lunares van a una fiesta de brujas". El portavoz de cada grupo entonces camina hacia adelante con su tarjeta. El líder explica que él empezará a contar una historia. En cierto punto, se detendrá y señalará a uno de los portavoces quien tendrá que tomar el hilo de la historia y seguirla. Cada vez que suene el silbato (cada minuto o más) ese vocero debe parar de hablar y el siguiente debe tomar el hilo de la historia y así se irán turnando por diez minutos. El objetivo es introducir la frase loca en un hilo de la historia sin que los otros equipos se den cuenta. Al final de la historia, cada equipo debe decidir si los portavoces de los otros equipos pudieron incluir sus frases locas en la historia y, si es así, cuáles fueron. Se otorgan puntos por incluir la frase en el hilo de la historia, por adivinar correctamente si se incluyó y adivinar cuál fue la frase.

HAGO UN VIAJE

Este es un juego para la memoria, lo cual es siempre divertido. Todos se sientan en un círculo y el líder empieza diciendo: "Hago un viaje y traigo...". Puede nombrarse cualquier cosa. La segunda persona luego dice: "Hago un viaje y traigo...y...". La *primera* cosa que menciona es la dicha por la *primera* persona y la *segunda* es una nueva cosa mencionada por aquella, y así sigue el círculo, con cada persona mencionando todas las cosas ya dichas más una que añade. El juego continúa hasta que alguien pierde. Entregue un premio a quien pueda recordar más cosas en el orden correcto.

TERCER GRADO

El líder divide el grupo en dos equipos: uno compuesto de los miembros de la FBI, el otro de espías. Cada espía recibe una tarjeta conteniendo una de las instrucciones que se mencionan más adelante; cada espía recibe una instrucción diferente. Los miembros de la FBI luego se turnan para hacer preguntas específicas de espionaje, llamando por nombre a cada espía antes de preguntarle. Los miembros de la FBI pueden hacer tantas preguntas como quieran a la cantidad de espías que quieran, y pueden preguntarles cualquier cosa, excepto acerca de las instrucciones dadas a los espías.

Un miembro de la FBI puede adivinar las instrucciones de un espía en cualquier momento, ya sea su turno para preguntar o no. Cada espía debe contestar su pregunta siempre en la manera descrita en su tarjeta. Si un espía da una respuesta sin seguir las instrucciones, o si un miembro de la FBI adivina correctamente las instrucciones del espía, éste es eliminado. Las preguntas continúan hasta que sean adivinadas correctamente todas las instrucciones de los espías.

1. Mienta durante cada respuesta.
2. Responda cada pregunta como si usted fuera (nombre de un líder adulto).
3. Trate de empezar una discusión con cada respuesta que usted da.
4. Siempre incluya el nombre de algún color en su respuesta.
5. Use siempre un número en su respuesta.
6. Sea evasivo. Nunca responda realmente una pregunta.
7. Siempre exagere su respuesta.
8. Siempre pretenda no comprender la pregunta con su respuesta.
9. Rásquese siempre durante su respuesta.
10. Siempre insulte al interrogador.
11. Siempre comience cada respuesta con una tos.
12. Siempre mencione algún tipo de comida durante cada respuesta.

El puntaje se cuenta por individuos en vez de por equipos. El espía ganador es aquel a quien le hicieron más preguntas antes de que sus instrucciones fueran adivinadas correctamente. El miembro de la FBI ganador es aquel quien adivina correctamente el mayor número de instrucciones.

Este juego puede ser realizado sin equipos. Entregue a todos en el grupo una instrucción como las mencionadas anteriormente. Entonces haga que cada persona conteste las preguntas del grupo entero hasta que alguien pueda adivinar su instrucción secreta. Cada nueva pregunta sin que se adivine la instrucción, vale un punto.

TA-TE-TI VARIADO

Dos personas juegan al mismo tiempo. Prepare un tablero de juego de cartón o corcho, para que las "X" y las "O" puedan ser colgadas en él.

Antiguo Testamento	Deportes	Sermón Matutino
Rimas	Pequeños Hechos Conocidos	Películas
Eventos Actuales	Secretos Santificados (Chismes)	Nuevo Testamento

Prepare suficientes preguntas para cada categoría. Los competidores tratan de tener sus tres "X" u "O" en hilera, vertical, horizontal o diagonalmente, contestando correctamente la pregunta de la categoría apropiada. Si el competidor "X" falla, entonces el competidor de la "O" tiene su turno. Para una versión más rápida, si un competidor falla, el oponente automáticamente gana ese espacio.

¿QUIEN SEÑOR, YO SEÑOR?

El objetivo de este juego es adelantar posiciones hasta llegar a la primera silla y mantenerse allí. Todos se sientan en un semicírculo de sillas (o bancas). El grupo se enumera, manteniendo todos su número durante todo el juego no importa donde se sienten.

El juego empieza cuando el líder dice "El príncipe de París perdió su sombrero y dice que el 8 (o cualquier otro número que escoja) sabe dónde está. ¡Ocho, en marcha!". Pero antes de que el líder diga: "¡en marcha!", el número ocho tiene que gritar "¿Quién señor, yo señor?". Si no, deja su silla y va a la última silla (a la derecha del líder) y todos se mueven una silla para llenar el vacío. Si dice: "¿Quién señor, yo señor?" a tiempo, hay una breve conversación entre el líder y el número ocho, como ésta: Líder: "¡Sí señor, usted señor!" Número ocho: "¡Oh no señor, yo no señor!" Líder: "Entonces, ¿quién señor?" Número ocho: "El cuatro, señor" (o cualquier otro número). El líder entonces rápidamente dice: "Cuatro, ¡en marcha!" y el número cuatro tiene que decir: "¿Quién señor, yo señor?" a tiempo y así continúan. En cualquier momento que alguien vaya "¡en marcha!", el líder dice otra vez "El Príncipe de París perdió su sombrero", etc.

Enseñe al grupo cómo jugar, empezando despacio, permitiendo un error antes de hacer que alguien vaya "¡en marcha!". Luego se acelera gradualmente. Mientras más rápido van, más emocionante se hace el juego. A la gente le gusta hacer este juego una y otra vez hasta cansarse.

En caso de empate entre el líder y la víctima, deje que el grupo vote si debe mantener su silla o ir "¡en marcha!". Con jugadores expertos puede penalizar a aquellos quienes digan: "¿Quién señor, yo señor?" fuera de tiempo. Los jugadores tratan de sacar a aquellos anteriores a ellos, así pueden moverse hacia la cabecera de la silla. Trate de lograr una atmósfera humorística, así nadie se avergonzará de ir al final de la línea.

¿POR QUE?

Entregue a todos en el grupo un lápiz y una tarjeta de 6 x 10 cms. Hágales escribir una pregunta comenzando con la frase "¿Por qué?" Recójalas. Luego todos escribirán en otra tarjeta respuestas que empiecen con "Porque". Recójalas. Distribuya todas al azar y luego lean las preguntas que tienen escritas y la respuesta correspondiente. Los resultados son divertidísimos.

ADIVINANZA DE LANA

Este es uno de esos juegos que se hacen sólo para divertirse. En un lado del salón, ponga algunos números en la pared. Adjunte a cada número la punta de un trozo largo de lana. Luego cuelgue la lana en la pared, atravesando el techo hasta una letra en la pared opuesta. Deje que la lana haga varias vueltas (vaya a través de las cosas, etc.) para hacerlo interesante. Con aproximadamente veinticinco diferentes largos de lana atravesando la sala conectando números y letras, el objetivo es dejar que la gente trate de saber cuál número conecta con cuál letra. Quien adivina más, gana un premio.

9

JUEGOS PARA CAMPO ABIERTO

Los juegos de campo abierto son aquellos que generalmente son mucho más complicados que los ordinarios. Los equipos deben planear estrategias, organizar y asignar tareas a los participantes, tolerar cualquier cantidad de reglamentos y lograr un objetivo que puede requerir mucha inteligencia, cautela y talento. Los juegos de campo abierto pueden también tener un tema particular, como espías y agentes secretos, vaqueros e indios, o el ejército en la guerra. La mayoría también requiere bastante espacio, como un campo abierto o zonas de bosques con espacio para correr y esconderse.

BATALLA POR EL SAHARA

Este es un juego para dos o más equipos en un ambiente al aire libre. Cada equipo tiene un recipiente de agua y debe transportar agua a través del *Sahara* (campo de juego) para llenarlo. El primero en hacerlo gana. Se le asigna un color a cada equipo y éste debe constar de (1) un general, (2) una bomba, (3) tres coroneles, (4) cuatro mayores y (5) cinco o seis soldados. De acuerdo con el tamaño del grupo puede cambiarse el número de jugadores para cada equipo. Cada jugador, excepto el general, tiene una taza de agua y cada equipo tiene un recipiente de agua (de alrededor de tres litros).

Hay una área específica y neutral donde se puede conseguir agua, de manera que los jugadores no pueden ser atrapados mientras llenan su taza, ni tampoco alrededor del recipiente de agua que está localizado a cierta distancia de la provisión de agua; alrededor de 150 a 200 metros.

Cada jugador, excepto el general, viaja a la zona de provisión de agua con su taza y la llena. Entonces viaja hasta el recipiente de agua y la echa. Mientras está en camino, puede ser atrapado por un jugador de uno de los equipos opuestos. El atrapador debe también tener una taza llena de agua para estar capacitado para atrapar. Si la persona atrapada es de bajo rango, deberá vaciar su taza. Si dos de un mismo rango se atrapan, se separan como amigos con sus tazas todavía llenas. Si la persona atrapada es de alto rango, el que la atrapó debe volcar su propia taza. Cada persona tiene una tarjeta de identidad con su rango escrito en el color de su equipo.

Todos los jugadores tocan excepto la bomba (aunque no vale la pena tocar al soldado por ser el de más bajo rango), quien también lleva su taza con agua. Cualquiera que toque a la bomba está automáticamente rebajado a soldado y debe vaciar su taza y entregar su tarjeta a la bomba, quien la entrega a uno de los árbitros tan pronto como pueda. (Esto mantiene a la gente dentro del juego.)

Cualquier vuelco accidental de agua por un oponente, el jugador ofendido obtiene una escolta gratuita del jugador ofensor, con una taza llena, hasta su recipiente. Un general no lleva una taza de agua y está libre de tocar a otros en cualquier momento.

Es conveniente establecer un límite de tiempo y el equipo ganador puede ser el que tenga más agua en su jarra al final del tiempo o el que la llena primero. También es mejor tener árbitros por la ruta para asegurar que no haya trampas y que los ofendidos logren las escoltas gratuitas apropiadamente.

FUGITIVO

Divida a los jugadores en dos grupos: los Fugitivos y la FBI. Los agentes de la FBI están equipados con linternas. Se les dan varios minutos a los Fugitivos para esconderse. Después de pasar el límite de tiempo, los agentes de la FBI tratan de encontrar a los Fugitivos. Estos tienen cierta cantidad de tiempo (entre 10 a 30 minutos) en el cual deben alcanzar la base (o la frontera, etc.) la cual puede ser cualquier área designada. Si enfocan con la linterna al Fugitivo y le llaman por su nombre cuando está tratando de esconderse o alcanzar la base, entonces va a la cárcel. Si los jugadores no saben todos los nombres, entonces los agentes de la FBI, simplemente pueden mencionar otra forma de identificación, sea la ropa o cualquier otra cosa. Si el Fugitivo logra llegar hasta la base, su equipo obtiene diez puntos. Si es atrapado por la FBI, entonces ésta tiene diez puntos. Si la base es una cabina, poste, etc., entonces sería bueno establecer una distancia de siete a doce metros alrededor de la base como *fuera de los límites* para los agentes de la FBI. Para hacer el juego más difícil, arme a los agentes de la FBI con globos de agua y deben disparar a los Fugitivos antes de hacer el arresto. Después de una vuelta del juego, hágalo de nuevo con los equipos cambiando de papel.

PISTOLA CONTRATADA

Este juego sería bueno para campamentos o actividades al aire libre donde hay suficiente espacio para correr y esconderse.

Cada persona necesita una pistola de agua o un revólver de juguete. Para empezar el juego, cada persona escribe su nombre debajo de "QEPD" en un pedazo de papel con la forma de una lápida. Todas estas "lápidas" se ponen en un sombrero y cada uno saca un nombre de la persona que ha sido contratado para *matar*.

Los jugadores salen solos y planean su estrategia. Cuando suena el silbato, empieza la cacería. Cada jugador trata de encontrar a la persona a la que debe apuntar y dispararle. Para que un disparo sea legal, debe hacerse secretamente, así sólo la víctima sabe que ha sido eliminada.

Los jugadores deben llevar sus lápidas con ellos todo el tiempo. Después de que la matan, la víctima firma su nombre en la lápida del matador y queda eliminada del juego. Entonces se cuelga la lápida en un lugar visible, así todos pueden ver quién está todavía en el juego.

Cuando los jugadores son eliminados, entregan sus lápidas (los nombres de las personas a quienes estaban tratando de matar) a sus matadores. Esos nombres llegan a ser los próximos blancos de los matadores triunfantes.

Para dar al juego un tema menos violento, llámelo EL BESADOR. Cuando se dispara a una persona ésta ha sido "besada".

CUMBRE DE MONTAÑA

Divida el grupo en dos equipos. Permita que cada equipo escoja un capitán. Ambos capitanes estarán desamparados en la Cumbre de la Montaña, localizada a 200 metros de la Fuente de Agua (un surtidor de agua). Cada capitán sostiene un recipiente de agua vacío. A cada miembro del equipo se le da un vasito de cartón. El objetivo es llenar el vasito con agua en la Fuente de Agua (el único surtidor de agua disponible) y luego llenar el recipiente del capitán. El primer equipo que llene completamente el recipiente gana. Mientras lo hacen deben detener al otro equipo antes de que llegue a su capitán, derramando su agua o volcándosela sobre ellos.

Juegue con las siguientes reglas:

1. Los varones capturan a los varones, pero no a las mujeres.
2. Las mujeres pueden capturar a ambos: varones y mujeres.
3. En el radio de un metro alrededor del capitán es una *zona libre,* y no se puede combatir allí.
4. Tenga gente neutral en el surtidor para llenar los vasitos y haga que cada equipo lo llene en los lados opuestos del mismo.
5. Distinga a los equipos con cintas de colores en sus frentes (o cualquier señal distintiva).

10

JUEGOS ESPECIALES PARA VERANO E INVIERNO

La primera selección de juegos en este capítulo es ideal para los días de un verano caluroso porque los jugadores pueden mojarse. Luego hay algunos juegos para usar dentro o alrededor de una piscina, lago o río. Finalmente, hay varios juegos buenos para el invierno. Por supuesto, muchos de los juegos previos en este libro pueden realizarse en el calor o en el frío, así que no se limite sólo a éstos.

JUEGOS CON AGUA Y GLOBOS DE AGUA

TOBOGAN GIGANTE

Se puede hacer un tobogán gigante con un pedazo de plástico pesado. Estacione a los jóvenes en intervalos alrededor de los bordes para sostenerlo tirante en su puesto. Brinde a los jóvenes un campo con césped, suficiente manguera de agua y tendrá un buen alboroto. Compita para ver quién puede resbalarse lo más lejos de pie, acostado boca abajo o boca arriba y sentado.

VOLEIBOL DE AGUA

Esta es una versión divertida de voleibol. Use una red normal de voleibol, muchos globos de agua y dos sábanas grandes.

Hay dos equipos, uno en cada lado de la red. Cada equipo obtiene una sábana y el equipo entero rodea la sábana sosteniéndola por los bordes. Se pone un globo de agua en el medio de la sábana del equipo servidor y éste debe pasar el globo sobre la red usando la sábana como un trampolín. El otro equipo debe atrapar el globo sobre su sábana (sin reventarlo) y luego arrojarlo sobre la red al otro equipo. Si se va fuera de los límites o aterriza otra vez en su lado de la cancha, pierden un punto (o el saque). Si el equipo que recibe falla en atraparlo o si se pasa de los límites, entonces pierden el punto.

El puntaje es el mismo que en el voleibol normal. Los equipos pueden ser de cualquier tamaño, pero si hay mucha gente alrededor de la sábana, se hace difícil moverse rápidamente. El juego requiere trabajo de equipo y es perfecto para un día caluroso.

MEZCLA DE CANICAS EMBARRADAS

He aquí un juego especial para un clima cálido y grupos grandes. Haga un gran charco de barro (de aproximadamente medio metro cuadrado por joven). Luego coloque cientos de canicas de diferentes colores en la capa superior de diez a doce cms. de barro. (Asegúrese de que el barro no tenga muchas piedrecitas.) Cada canica, de diferente color, vale una cantidad de puntos distintos. Mientras menos canicas de un color tenga, valen más puntos (vea el ejemplo inmediato).

1 canica roja = 500 puntos
2 canicas blancas = 100 puntos cada una
25 canicas azules = 50 puntos cada una
100 canicas verdes = 20 puntos cada una

Divida el grupo en equipos, cada uno con dos líderes. Uno lava las canicas recobradas, el otro lleva la cuenta de cuántas canicas de cada color han recuperado. A la señal, todos los participantes se meten en el barro, buscando las canicas. Después de diez a quince minutos, el equipo con más puntos gana.

PING-PONG FLOTANTE

Para esta carrera, consiga latas grandes vacías, pelotas de Ping-Pong, baldes de agua, toallas y un chico sin camiseta para cada equipo participante.

El chico sin camiseta se acuesta boca arriba a diez metros de su equipo que está formado en fila. Ponga la lata vacía sobre su estómago o pecho. Ponga la pelota de Ping-Pong en la lata. Cada equipo tiene un balde de agua.

Al iniciar el juego, cada jugador, uno a la vez, usa sus manos ahuecadas para llevar agua desde el balde de su equipo hasta la lata. Al llenarse la lata con agua, la pelota de Ping-Pong se irá levantando. Tan pronto como esté lo suficientemente alta, un jugador trata de sacarla de la lata con su boca. El primer equipo que saque la pelota de Ping-Pong de la lata (sin las manos) y pase la línea final gana.

TIFON

Este juego es ideal para el verano. Forme dos filas de a uno, con la cara hacia un surtidor de agua. A la señal, la primera persona de cada fila corre hacia el agua, llena un balde, regresa corriendo a su equipo y tira el agua a la cara del siguiente compañero de equipo. Antes de que la persona pueda tirar agua, su compañero debe señalar y gritar: "Tifón" y así sucesivamente. La primera fila que termine se declara la ganadora. Por razones de seguridad, el tirador de agua debe estar por lo menos a dos metros de sus compañeros de equipo y debe usarse un balde plástico.

VOLEIBOL EN LA LLUVIA

Este juego es también fantástico para los días de un verano caluroso. Ponga un poste en el medio de la red de voleibol con una regadera encima y la manguera conectada al poste. Entonces juegue el voleibol normal. Es mejor jugar en una superficie de tierra que pronto se transformará en barro. Si juega sobre el césped, sepa que el exceso de agua le puede ocasionar daños.

ATAQUE RELAMPAGO DE GLOBOS DE AGUA

Esta es simplemente una guerra al aire libre con globos de agua. Divida al grupo en equipos y entregue a cada equipo diez globos por jugador y tiempo para llenarlos de agua. A la señal, todos empiezan a tirarse los globos de agua hasta que se acaben los recursos. Cualquier cosa vale. Los jueces eligen al ganador basándose en cuál equipo está más seco.

CAPTURE LA BANDERA CON GLOBOS DE AGUA

Juegue a CAPTURE LA BANDERA (página 22) con este cambio de reglamento: Arme a todos con globos de agua y en vez de atrapar a los oponentes que entran en el territorio del enemigo, les pegan con un globo de agua.

CARRERA DE GLOBOS DE AGUA

Use tantas parejas como quiera. Cada pareja correrá entre dos puntos sosteniendo un globo de agua entre sus frentes y sin usar las manos. Si se les cae el globo, lo recogen y siguen. Si se revienta, quedan fuera del juego.

LANZAMIENTO DE GLOBOS DE AGUA

Este es un juego sencillo para ver quién puede tirar al aire un globo de agua (como en un lanzamiento de disco) lo más lejos. Para darles a los jugadores más incentivo, el líder puede pararse fuera del alcance de los jugadores y lo usarán como tiro al blanco.

MANTENGA SU GLOBO DE AGUA

Las parejas hacen fila cara a cara y se les da un globo de agua para lanzárselo uno al otro, a la señal. Después de cada lanzada se mueven un paso hacia atrás. La última pareja que mantenga su globo de agua sin reventarse gana.

VOLEIBOL DE GLOBO DE AGUA

Este juego es similar al voleibol normal, sólo que se usa un globo de agua en vez de una pelota de voleibol y puede tener tantas personas como desee en ambos equipos. Se saca desde la línea de atrás y se permite a cada equipo tres pases y tres atajadas para pasar el globo de agua sobre la red al equipo contrario. Este entonces tiene tres pases y tres atajadas para devolver el globo a través de la red. Se lanza continuamente el globo de un lado al otro pasando la red hasta que se reviente. Entonces en el lado donde se revienta no anota, pero el equipo contrario gana el punto, sin importar quien sacó. Se permiten picadas, pero si el globo se revienta en el equipo que está picando, se otorga el punto al otro equipo. Cualquier equipo que gane el punto continúa sacando hasta que el globo se reviente. El juego sigue hasta anotar quince puntos, entonces los equipos cambian de lado y el juego se reanuda. Se observan los otros reglamentos del juego de voleibol, como no salir fuera de los límites, mantener sus manos en su propio lado de la red y no caerse sobre la red.

Una variación de este juego es "Voleibol de Globo de Agua Ciego". Para jugarlo, cuelgue sábanas (o alguna tela opaca) sobre la red, así los equipos no pueden ver cuando viene el globo de agua por sobre la red. Se añade el elemento de sorpresa.

GUERRA DE GLOBOS DE AGUA

Este juego es similar a otros que necesitan un espacio grande y muchos jóvenes. Divida el grupo en dos equipos y marque a los jugadores con un color de identificación (como una cinta, banda, etc.). Cada equipo tiene una persona que hace de blanco y que se mantiene fija en un lugar durante todo el juego. El objetivo es pegarle al blanco del otro equipo con un globo de agua.

Cada equipo prepara con anticipación un gran número de globos de agua (seis veces más que el número de jugadores en el equipo) y los guardan en la base del equipo. Ningún jugador puede entrar en la base del otro equipo para destruir su arsenal de globos. Cuando el juego se inicia, los jugadores de ambos equipos toman dos globos cada uno y tratan de pegarle al blanco del otro equipo. Los miembros de equipos contrarios también pueden "matarse" unos a otros pegándose con los globos de agua. Los jugadores "muertos" deben salir del juego. El primer equipo que le pegue al blanco gana y el juego se termina o comienza una segunda vuelta. Se otorgan cien puntos por cada jugador "muerto" y 500 puntos por pegarle al blanco.

SORPRESA DE GLOBOS DE AGUA

Este juego es una buena manera de refrescarse en un día caluroso. Nadie gana; sólo se hace para diversión. Cada miembro del equipo toma de tres a cinco globos de agua. Dibuje un círculo en el piso y un equipo entero se sienta dentro del círculo, mientras el otro equipo les lanza globos de agua a ellos. El equipo sentado no se puede mover. El equipo lanzador debe quedarse detrás de una línea dada y tirar globos con la mano de abajo hacia arriba en un arco de tres metros. Cualquiera que rompa las reglas debe sentarse sobre un globo lleno de agua. Los equipos cambian de puesto cuando a uno de ellos se les acaban los globos. Dé un premio al equipo más seco.

CARRERA DE BALDES DE AGUA

Use una lata vacía de pintura, una caja de leche o una caja de plástico y pásele una soga (o piola) amarrada en ambos extremos a algo sólido y sobre un espacio abierto. Divida en dos equipos al grupo y entregue a cada equipo una manguera de agua con el agua corriendo. Cada equipo se colocará en un extremo de la soga. El equipo que empuje primero el recipiente hasta el extremo del oponente (con el chorro de la manguera) gana. El agua de las mangueras caerá directamente sobre todos los participantes.

JUEGOS PARA PISCINAS Y LAGOS

A TRAVES DEL AMAZONAS

Extienda una soga a través de la piscina y haga carreras en que los participantes atraviesan la piscina tomados con sus manos de la soga. Esta carrera se puede hacer en el estilo de las carreras de relevo.

BEISBOL ACUATICO

Este juego de piscina puede ser muy divertido sin ser muy agitado. Se necesita una pelota de goma o plástico y una piscina mediana. Divida el grupo en dos equipos iguales. Un equipo el de los "bateadores", se sienta en el borde y provee el "pitcher" (el que tira la pelota). El otro equipo se coloca en la piscina.

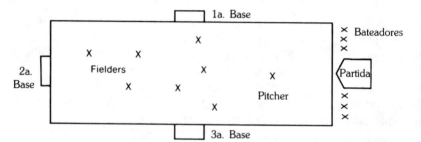

Cada bateador tiene un solo tiro y debe pegarle a la pelota con su mano. Luego debe nadar a las bases, usando cualquier estilo que desee para evitar un "fuera". Se cuenta un "fuera" si la pelota sale de la piscina, si es parada en el aire, si el jugador es tocado con la pelota antes de alcanzar una base, o si la pelota se tira a primera base antes de que llegue al bateador. Las demás reglas son las mismas del béisbol normal o se pueden adaptar.

EMPUJE EL GLOBO

Haga carreras de nadadores que crucen la piscina empujando globos (o cualquier cosa que flote) con sus narices.

CANOA LOCA

Dos personas, cada una con un remo, se sientan en una canoa cara a cara. Uno rema en una dirección, el otro en la contraria. El ganador es quien lleva la canoa hasta pasar su meta a unos seis metros de distancia. Es muy difícil hacerlo y es gracioso de observar, porque la canoa tiende a andar en círculos. En una canoa más grande, pueden jugar de cuatro a seis personas, con un equipo en cada extremo de la canoa. Es posible jugar en una piscina.

CARRERA DE VELAS

Para esta carrera de relevo, los jugadores llevarán una vela encendida a través de la piscina. Debe mantenerse encendida en toda la travesía.

PASA LA PELOTA

Este juego se desarrolla en una piscina con una red de voleibol dividiendo los dos equipos. Entregue a los equipos cualquier clase de pelotas (Ping-Pong, voleibol, fútbol, de playa, etc.). El objetivo es tirar cuantas pelotas se puedan sobre la red, así el equipo contrario tiene más pelotas en su lado cuando suena el silbato. Es un juego tonto que se desarrolla rápido.

CARRERA DE HIELO

Esta es una gran idea para una fiesta en la piscina. Los jugadores empujan un bloque de hielo de diez kgs. hasta el extremo opuesto de la piscina y lo vuelven a traer. Es congelante. Use varios bloques de hielo y premios para quien logre el mejor tiempo.

BUSQUEDA DE PERLAS

Use canicas por perlas y asigne un valor de puntos según el color. Eche una cantidad de ellas a la piscina. Divida el grupo en equipos y hágales buscar y recoger tantas canicas como sean posibles. El equipo que coleccione más puntos gana. Para añadir interés, eche unas pocas canicas "raras" que valgan mucho más.

CARRERA DE PAPAS

Esta es una carrera de relevo donde los participantes llevan una papa (o un huevo bien cocido) sostenida en una cuchara a través de la piscina.

CARRERA DE SALTO MORTAL

Los nadadores compiten atravesando la piscina, pero cuando el líder toca el silbato, deben de parar de nadar y hacer un salto mortal en el agua.

CARRERA DE CAMISETAS

El desafío de esta carrera en la piscina es el cambio de una camiseta mojada. El objetivo es nadar con la camiseta puesta hasta un lugar predeterminado y regresar, darle la camiseta al siguiente participante y sentarse. Los participantes deben ponerse completamente la camiseta antes de empezar a nadar. El mejor modo de pasar la camiseta de una persona a la otra es tener a ambos jugadores inclinados uno hacia el otro y tomándose de las manos con los brazos extendidos. Entonces la camiseta puede ser pasada del uno al otro fácilmente por otro compañero de equipo.

CARRERA DE NEUMATICOS

Haga competir a los jóvenes en neumáticos, remando hacia atrás.

DOMA EN EL AGUA

Este juego se realiza en un lago, laguna o piscina. Amarre una soga larga a una bandeja (o a un platillo, o a cualquier otro objeto plano con asas). Enseguida, ponga a varios jóvenes en la punta de la soga (fuera del agua) y una persona para viajar en el platillo (a través de la piscina) mientras el grupo tira de la soga para atraerlo. El montador debe tratar de quedarse en el platillo. Los equipos pueden competir por el mejor tiempo o sólo por diversión.

JUEGOS PARA NIEVE

OLIMPIADAS DE NEUMATICOS

Este es un buen deporte para la nieve. Solo necesita una buena inclinación cubierta con nieve y neumáticos de autos. Haga competencias ya sea individuales o por equipos. El líder es el único juez. Las competencias son estas: Individuales de Hombres y Mujeres, Dobles Mixtos, Proezas, Slalom, etc. Otorgue puntos por distancia recorrida y desempeño. Un desempeño pobre es cuando: abandona, voltea el neumático mientras baja la montaña, cierra los ojos, etc. La Proeza está basada en originalidad y distancias.

FUTBOL EN LA NIEVE

Este juego es ideal para un campo cubierto de nieve con una capa de hielo. Sin embargo, se puede jugar en cualquier superficie con nieve, y también se puede adaptar para jugar en la playa, sobre la arena mojada.

Los únicos requisitos son dos equipos iguales, de cualquier tamaño, una superficie amplia y dos neumáticos bien inflados que tengan alguna marca o pintura que los distinga entre sí.

Juegen de acuerdo con las siguientes reglas:

1. Se marcan dos arcos, a unos veinte metros de distancia uno del otro.

2. Se colocan los dos neumáticos uno encima del otro en el centro del campo. Los dos equipos se entremezclan formando un círculo amistoso (cada uno pasando sus brazos sobre los hombros del otro) alrededor de los neumáticos.

3. Todo el grupo grita: "¡Preparados! ¡Listos! ¡YA!" Cuando gritan "¡YA!" se sueltan y cada equipo tratará de enviar su neumático hasta el arco correspondiente y, a la vez, evitar que el equipo contrario haga un gol con el suyo. Los equipos juegan a la ofensiva y defensiva al mismo tiempo.

4. Cuando un equipo hace un gol, recibe un punto y vuelven todos a formar el círculo en el centro.

5. Los neumáticos no pueden tocarse con las manos, pero puede usarse cualquier otro medio. No se permite detener un neumático enganchándolo con una pierna o brazo.

INDICE ALFABETICO DE LOS JUEGOS